U0133446

名家美学漫谈

情志之美

王国维美学精选集

王国维 著

吉林人民出版社

图书在版编目(CIP)数据

情志之美：王国维美学精选集 / 王国维著．-- 长春：吉林人民出版社，2020.12
（名家美学漫谈 / 王楠主编）
ISBN 978-7-206-17875-7

Ⅰ.①情… Ⅱ.①王… Ⅲ.①美学—文集 Ⅳ.①B83-53

中国版本图书馆 CIP 数据核字(2020)第 260343 号

出 品 人：常 宏
选题策划：吴文阁 翁立涛 四季中天
责任编辑：张 娜
助理编辑：刘 涵 丁 昊
封面设计：观止堂_未 氓

情志之美：王国维美学精选集
QINGZHI ZHI MEI：WANG GUOWEI MEIXUE JINGXUAN JI

著 者：王国维
出版发行：吉林人民出版社（长春市人民大街 7548 号 邮政编码：130022）
咨询电话：0431-85378007
印 刷：天津雅泽印刷有限公司
开 本：650mm × 960mm 1/16
印 张：18.25 字 数：215 千字
标准书号：ISBN 978-7-206-17875-7
版 次：2021 年 3 月第 1 版 印 次：2021 年 3 月第 1 次印刷
定 价：52.80 元

出版说明

中国历史上有着极为丰富的美学遗产，继承和发扬这份遗产，对于我国当代的美学教育和美学实践，对于中华文化的伟大复兴，有着重要意义。王国维、梁启超、蔡元培等学者推动了我国美学理论的发展。

蔡元培认为："爱美是人类性能中固有的要求。一个民族，无论其文化的程度何若，从未有喜丑而厌美的。便是野蛮民族，亦有将红布挂在襟间以为装饰的，虽然他们的审美趣味很低，但即此一点，亦已足证明其有爱美之心了。我以为如其能够将这种爱美之心因势而利导之，小之可以怡性悦情，进德养身，大之可以治国平天下。何以见得呢？我们试反躬自省，当读画吟诗，搜奇探幽之际，在心头每每感到一种莫可名言的恬适。即此境界，平日那种是非利害的念头，人我差别的执着，都一概泯灭了，心中只有一片光明，一片天机。这样我们还不怡性悦情么？心旷则神逸，心广则体胖，我们还不能养身么？人我之别、利害之念既已泯灭，我们还不能进德么？人人如此，家家如此，还不能治国平天下么？"

王国维更是在美学领域取得了辉煌成就，其所创立的"意境说"是世界美学史上唯一以中为主、三美（中国、印度、西方三大哲学美学体系）结合的理论体系，具有深远的学术影响。

鉴于此，我们编选了这套《名家美学漫谈》，编选说明如下：

一、收录王国维、梁启超、蔡元培、朱自清作品中最适合广大读者阅读、学习的有关美学方面的代表作。

二、保留原作中符合当时语境的表述，只对错别字、常识性错误进行改动。

三、参照2012年6月实施的《出版物上数字用法》国家标准，在"得体""局部体例一致""同类别同形式"等原则下，对原书中涉及年龄、年月日等数字用法，不做改动（引文、表格和括号内特别注明的除外）。中华人民共和国成立后的年、月、日统一采用公元纪年法表示。

本丛书不仅是中国美学的代表作，也是广大读者提高审美素养和审美水平的经典读物。相信广大读者，尤其是青年朋友，能够从本丛书中得到有益的启发和借鉴。

编　者

目录

contents

第一辑　美学漫谈

第二辑　人间词话

第三辑　教育杂感

第四辑　哲学辨惑

附录　静安诗词

第一辑　美学漫谈

论哲学家与美术家之天职

天下有最神圣、最尊贵而无与于当世之用者，哲学与美术是已。天下之人嚣然谓之曰无用，无损于哲学、美术之价值也。至为此学者自忘其神圣之位置，而求以合当世之用，于是二者之价值失。夫哲学与美术之所志者，真理也。真理者，天下万世之真理，而非一时之真理也。其有发明此真理（哲学家）或以记号表之（美术）者，天下万世之功绩，而非一时之功绩也。唯其为天下万世之真理，故不能尽与一时一国之利益合，且有时不能相容，此即其神圣之所存也。且夫世之所谓有用者，孰有过于政治家及实业家者乎？世人喜言功用，吾姑以其功用言之。夫人之所以异于禽兽者，岂不以其有纯粹之知识与微妙之感情哉？至于生活之欲，人与禽兽无以或异。后者政治家及实业家之所供给；前者之慰藉满足，非求诸哲学及美术不可。就其所贡献于人之事业言之，其性质之贵贱，固以殊矣。至就其功效之所及言之，则哲学家与美术家之事业，虽千载以下，四海以外，苟其所发明之真理与其所表之之记号之尚存，则人类之知识感情由此而得其满足慰藉者，曾无以异于昔；而政治家及实业家之事业，其及于五世十世者希矣。此又久暂之别也。然则人而无所贡献于哲学、美术，斯亦已耳；苟为真正之哲学家、美术家，又何慊乎政治家哉！

披我中国之哲学史，凡哲学家无不欲兼为政治家者，斯可异已！孔子大政治家也，墨子大政治家也，孟、荀二子皆抱政治上之大志者也。汉之贾、董，宋之张、程、朱、陆，明之罗、王无不然。岂独哲学家而已，诗人亦然。“自谓颇腾达，立登要路津。致君尧舜上，再使风俗淳”，非杜子美之抱负乎？“胡不上书自荐达，坐令四海如虞唐”，非韩退之之忠告乎？“寂寞已甘千古笑，驰驱犹望两河平”，非陆务观之悲愤乎？如此者，世谓之大诗人矣。至诗人之无此抱负者，与夫小说、戏曲、图画、音乐诸家，皆以侏儒、倡优自处，世亦以侏儒、倡优畜之。所谓“诗外尚有事在”“一命为文人便无足观”，我国人之金科玉律也。呜呼，美术之无独立之价值也久矣！此无怪历代诗人，多托于忠君爱国、劝善惩恶之意，以自解免，而纯粹美术上之著述，往往受世之迫害而无人为之昭雪者也。此亦我国哲学、美术不发达之一原因也。

夫然，故我国无纯粹之哲学，其最完备者，唯道德哲学与政治哲学耳。至于周、秦、两宋间之形而上学，不过欲固道德哲学之根柢，其对形而上学非有固有之兴味也。其于形而上学且然，况乎美学、名学、知识论等冷淡不急之问题哉！更转而观诗歌之方面，则咏史、怀古、感事、赠人之题目弥满充塞于诗界，而抒情叙事之作什佰不能得一，其有美术上之价值者，仅其写自然之美之一方面耳。甚至戏曲、小说之纯文学，亦往往以惩劝为旨，其有纯粹美术上之目的者，世非惟不知贵，且加贬焉。于哲学则如彼，于美术则如此，岂独世人不具眼之罪哉，抑亦哲学家、美术家自忘其神圣之位置与独立之价值，而葸然以听命于众故也？

至我国哲学家及诗人所以多政治上之抱负者，抑又有说。夫势力之欲，人之所生而即具者，圣贤豪杰之所不能免也。而知力愈优者，其势力之欲也愈盛。人之对哲学及美术而有兴味者，必其知力之优者也，故其势力之欲亦准之。今纯粹之哲学与纯粹之美术，既不能得势力于我国之思想界矣，则彼等势力之欲，不于政治，将于何求其满足之地乎？且政治上之势力，有形的也，及身的也；而哲学、美术上之势力，无形的也，身后的也。故非旷世之豪杰，鲜有不为一时之势力所诱惑者矣。虽然，无亦其对哲学、美术之趣味有未深，而于其价值有未自觉者乎？今夫人积年月之研究，而一旦豁然悟宇宙人生之真理，或以胸中惝恍不可捉摸之意境，一旦表诸文字、绘画、雕刻之上，此固彼天赋之能力之发展，而此时之快乐，决非南面王之所能易者也。且此宇宙人生而尚如故，则其所发明所表示之宇宙人生之真理之势力与价值，必仍如故。之二者，所以酬哲学家、美术家者固已多矣。若夫忘哲学、美术之神圣，而以为道德政治之手段者，正使其著作无价值者也。愿今后之哲学、美术家，毋忘其天职，而失其独立之位置，则幸矣！

载 1905 年《教育世界》

古雅之在美学上之位置

“美术者天才之制作也”，此自汗德以来百余年间学者之定论也。然天下之物，有决非真正之美术品，而又决非利用品者。又其制作之人，决非必为天才，而吾人之视之也，若与天才所制作之美术无异者，无以名之，名之曰“古雅”。

欲知古雅之性质，不可不知美之普遍之性质。美之性质，一言以蔽之，曰：可爱玩而不可利用者是已。虽物之美者，有时亦足供吾人之利用，但人之视为美时，决不计及其可利用之点。其性质如是，故其价值亦存于美之自身，而不存乎其外。而美学上之区别美也，大率分为二种：曰优美，曰宏壮。自巴克及汗德之书出，学者殆视此为精密之分类矣。至古今学者对优美及宏壮之解释，各由其哲学系统之差别而各不同。要而言之，则前者由一对象之形式，不关于吾人之利害，遂使吾人忘利害之念，而以精神之全力沉浸于此对象之形式中，自然及艺术中普通之美，皆此类也；后者则由一对象之形式，越乎吾人知力所能驭之范围，或其形式大不利于吾人，而又觉其非人力所能抗，于是吾人保存自己之本能，遂超越乎利害之观念外，而达观其对象之形式，如自然中之高山大川、烈风雷雨，艺术中伟大之宫室、悲惨之雕刻像，历史画、戏曲、小说等皆是也。此二者，其可爱玩而不可利用也同，若夫所谓古雅者则何如？

一切之美皆形式之美也。就美之自身言之，则一切优美，皆存于形式之对称变化及调和。至宏壮之对象，汗德虽谓之无形式，然以此种无形式之形式，能唤起宏壮之情，故谓之形式之一种，无不可也。就美术之种类言之，则建筑、雕刻、音乐之美之存于形式固不俟论，即图画、诗歌之美之兼存于材质之意义者，亦以此等材质适于唤起美情故，故亦得视为一种之形式焉。释迦与马利亚庄严圆满之相，吾人亦得离其材质之意义，而感无限之快乐，生无限之钦仰。戏曲、小说之主人翁及其境遇，对文章之方面言之，则为材质；然对吾人之感情言之，则此等材质又为唤起美情之最适之形式。故除吾人之感情外，凡属于美之对象者，皆形式而非材质也。而一切形式之美，又不可无他形式以表之。惟经过此第二之形式，斯美者愈增其美，而吾人之所谓古雅，即此第二种之形式。即形式之无优美与宏壮之属性者，亦因此第二形式故，而得一种独立之价值。故古雅者，可谓之形式之美也。

夫然，故古雅之致存于艺术而不存于自然。以自然但经过第一形式，而艺术则必就自然中固有之某形式，或所自创造之新形式，而以第二形式表出之。即同一形式也，其表之也各不同。同一曲也，而奏之者各异；同一雕刻、绘画也，而真本与摹本大殊。诗歌亦然。"夜阑更炳烛，相对如梦寐"（杜甫《羌村》诗）之于"今宵剩把银釭照，犹恐相逢是梦中"（晏几道《鹧鸪天》词），"愿言思伯，甘心首疾"（《诗·卫风·伯兮》）之于"衣带渐宽终不悔，为伊消得人憔悴"（欧阳修《蝶恋花》词），其第一形式同，而前者温厚，后者刻露者，其第二形式异也。一切艺术无不皆然，于是有所谓雅俗之区别起。优美及宏壮必与古雅合，然后得显其固有之价值。不过优美及宏壮之原质愈显，则古雅之原质愈蔽。然吾人所以感如此之美且壮者，实以表出之之雅故，即以其美之第一形式，更以雅之第二形式表出之故也。

虽第一形式之本不美者，得由其第二形式之美（雅），而得一种独立之价值。茅茨土阶，与夫自然中寻常琐屑之景物，以吾人之肉眼观之，举无足与于优美若宏壮之数，然一经艺术家（若绘画、若诗歌）之手，而遂觉有不可言之趣味。此等趣味，不自第一形式得之，而自第二形式得之无疑也。绘画中之布置，属于第一形式，而使笔使墨，则属于第二形式。凡以笔墨见赏于吾人者，实赏其第二形式也。此以低度之美术（如法书等）为尤甚。三代之钟鼎，秦汉之摹印，汉魏六朝唐宋之碑帖，宋元之书籍等，其美之大部，实存于第二形式。吾人爱石刻不如爱真迹，又其于石刻中爱翻刻不如爱原刻，亦以此也。凡吾人所加于雕刻书画之品评，曰"神"、曰"韵"、曰"气"、曰"味"，皆就第二形式言之者多，而就第一形式言之者少。文学亦然，古雅之价值大抵存于第二形式。西汉之匡、刘，东京之崔、蔡，其文之优美宏壮，远在贾、马、班、张之下，而吾人之嗜之也亦无逊于彼者，以雅故也。南丰之于文，不必工于苏、王；姜夔之于词，且远逊于欧、秦，而后人亦嗜之者，以雅故也。由是观之，则古雅之原质，为优美及宏壮中不可缺之原质，且得离优美宏壮而有独立之价值，则固一不可诬之事实也。

然古雅之性质，有与优美及宏壮异者。古雅之但存于艺术而不存于自然，即如上文所论矣。至判断古雅之力，亦与判断优美及宏壮之力不同。后者先天的，前者后天的、经验的也。优美及宏壮之判断之为先天的判断，自汗德之《判断力批评》后，殆无反对之者。此等判断既为先天的，故亦普遍的、必然的也。易言以明之，即一艺术家所视为美者，一切艺术家亦必视为美。此汗德所以于其美学中，预想一公共之感官者也。若古雅之判断则不然，由时之不同而人之判断之也各异。吾人所断为古雅者，实由吾人今日之位置断之。古代之遗物无不雅于近世之制作，古代之文学虽至拙劣，自吾人读之无不古雅者，若自古人之眼观之，殆不然矣。故古雅之判断，后天的也，经验的也，故亦特别的也，偶然的也。此由古代表出第一形式之道与近世大异，故吾人睹其遗迹，不觉有遗世之感随之，然在当日，则不能若优美及宏壮，则固无此时间上之限制也。古雅之性质既不存于自然，而其判断亦但由于经验，于是艺术中古雅之部分，不必尽俟天才，而亦得以人力致之。苟其人格诚高，学问诚博，则虽无艺术上之天才者，其制作亦不失为古雅。而其观艺术也，虽不能喻其优美及宏壮之部分，犹能喻其古雅之部分。若夫优美及宏壮，则非天才，殆不能捕攫之而表出之。今古第三流以下之艺术家，大抵能雅而不能美且壮者，职是故也。以绘画论，则有若国朝之王翚，彼固无艺术上之天才，但以用力甚深之故，故摹古则优，而自运则劣，则岂不以其舍其所长之古雅，而欲以优美宏壮与人争胜也哉？以文学论，则除前所述匡、刘诸人外，若宋之山谷，明之青邱、历下，国朝之新城等，其去文学上之天才盖远，徒以有文学上之修养故，其所作遂带一种典雅之性质。而后之无艺术上之天才者，亦以其典雅故，遂与第一流之文学家等类而观之，然其制作之负于天分者十之二三，而负于人力者十之七八，则固不难分析而得之也。又虽真正之天才，其制作非必皆神来兴到之作也。以文学论，则虽最优美最宏壮之文学中，往往书有陪衬之篇，篇有陪衬之章，章有陪衬之句，句有陪衬之字。一切艺术，莫不如是。此等神兴枯涸之处，非以古雅弥缝之不可。而此等古雅之部分，又非藉修养之力不可。若优美与宏壮，则固非修养之所能为力也。

然则古雅之价值，遂远出优美及宏壮下乎？曰：不然。可爱玩而不可利用者，一切美术品之公性也。优美与宏壮然，古雅亦然。而以吾人之玩其物也，无关于利用故，遂使吾人超出乎利害之范围外，而惝恍于缥缈宁静之域。优美之形式使人心和平，古雅之形式使人心休息，故亦可谓之低度之优美。宏壮之形式常以不可抵抗之势力，唤起人钦仰之情；古雅之形式则以不习于世俗之耳目故，而唤起一种之惊讶。惊讶者，钦仰之情之初步，故虽谓古雅为低度之宏壮，亦无不可也。故古雅之位置，可谓在优美与宏壮之间，而兼有此二者之性质也。至论其实践之方面，则以古雅之能力能由修养得之，故可为美育普及之津梁。虽中智以下之人，不能创造优美及宏壮之物者，亦得由修养而有古雅之创造力。又虽不能喻优美及宏壮之价值者，亦得于优美宏壮中之古雅之原质，或于古雅之制作物中，得其直接之慰藉。故古雅之价值，自美学上观之，诚不能及优美及宏壮；然自其教育众庶之效言之，则虽谓其范围较大、成效较著可也。因美学上尚未有专论古雅者，故略述其性质及位置如右。篇首之疑问，庶得由是而说明之欤。

载1907年《教育世界》

孔子之美育主义

诗云:“世短意常多，斯人乐久生。”岂不悲哉！人之所以朝夕营营者，安归乎？归于一己之利害而已。人有生矣，则不能无欲；有欲矣，则不能无求；有求矣，不能无生得失，得则淫，失则戚：此人人之所同也。世之所谓道德者，有不为此嗜欲之羽翼者乎？所谓聪明者，有不为嗜欲之耳目者乎？避苦而就乐，喜得而恶丧，怯让而勇争。此又人人之所同也。于是，内之发于人心也，则为苦痛；外之见于社会也，则为罪恶。然世终无可以除此利害之念，而泯人己之别者欤？将社会之罪恶固不可以稍减，而人心之苦痛遂长此终古欤？曰：有，所谓“美”者是已。

美之为物，不关于吾人之利害者也。吾人观美时，亦不知有一己之利害。德意志之大哲人汗德，以美之快乐为不关利害之快乐（Disinteresed Pleasure）。至叔本华而分析观美之状态为二原质:（一）被观之对象，非特别之物，而此物之种类之形式;（二）观者之意识，非特别之我，而纯粹无欲之我也（《意志及观念之世界》第一册二百五十三页）。何则？由叔氏之说，人之根本在生活之欲，而欲常起于空乏。既偿此欲，则此欲以终；然欲之被偿者一，而不偿者十百；一欲既终，他欲随之：故究竟之慰藉终不可得。苟吾人之意识而充以嗜欲乎？吾人而为嗜欲之我乎？则亦长此辗转于空乏、希望与恐怖之中而已，欲求福祉与宁静，岂可得哉！然吾人一旦因他故而脱此嗜欲之网，则吾人之知识已不为嗜欲之奴隶，于是得所谓无欲之我。无欲故无空乏，无希望，无恐怖；其视外物也，不以为与我有利害之关系，而但视为纯粹之外物。此境界唯观美时有之。苏子瞻所谓“寓意于物”（《宝绘堂记》）；邵子曰：“圣人所以能一万物之情者，谓其能反观也。所以谓之反观者，不以我观物也。不以我观物者，以物观物之谓也。既能以物观物，又安有我于其间哉？”（《皇极经世·观物内篇》七）此之谓也。其咏之于诗者，则如陶渊明云：“采菊东篱下，悠然见南山。山气日夕佳，飞鸟相与还。此中有真意，欲辨已忘言。”谢灵运云：“昏旦变气候，山水含清晖。清晖能娱人，游子澹忘归。”或如白伊龙云：“I live not in myself，but I become Portion of that around me ; and to me High mountains are a feeling。”皆善咏此者也。

夫岂独天然之美而已，人工之美亦有之。宫观之瑰杰，雕刻之优美雄丽，图画之简淡冲远，诗歌音乐之直诉人之肺腑，皆使人达于无欲之境界。故泰西自雅里大德勒以后，皆以美育为德育之助。至近世，谑夫志培利、赫启孙等皆从之。及德意志之大诗人希尔列尔出，而大成其说，谓人日与美相接，则其感情日益高，而暴慢鄙倍之心自益远。故美术者科学与道德之生产地也。又谓审美之境界乃不关利害之境界，故气质之欲灭，而道德之欲得由之以生。故审美之境界乃物质之境界与道德之境界之津梁也。于物质之境界中，人受制于天然之势力；于审美之境界则远离之；于道德之境界则统御之。（希氏《论人类美育之书简》）由上所说，则审美之位置犹居于道德之次。然希氏后日更进而说美之无上之价值，曰：“如人必以道德之欲克制气质之欲，则人性之两部犹未能调和也，于物质之境界及道德之境界中人性之一部，必克制之以扩充其他部。然人之所以为人，在息此内界之争斗，而使卑劣之感跻于高尚之感觉。如汗德之严肃论中气质与义务对立，犹非道德上最高之理想也。最高之理想存于美丽之心（Beautiful Soul），其为性质也，高尚纯洁，不知有内界之争斗，而唯乐于守道德之法则，此性质唯可由美育得之。”（芬特尔朋《哲学史》第六百页）此希氏最后之说也。顾无论美之与善，其位置孰为高下，而美育与德育之不可离，昭昭然矣。

今转而观我孔子之学说。其审美学上之理论虽不可得而知，然其教人也，则始于美育，终于美育。《论语》曰：“小子何莫学夫诗。诗可以兴，可以观，可以群，可以怨。迩之事父，远之事君。多识于鸟兽草木之名。”又曰：“兴于诗，立于礼，成于乐。”其在古昔，则胄子之教，典于后夔；大学之事，董于乐正。然则以音乐为教育之一科，不自孔子始矣。荀子说其效曰：“乐者，圣人之所乐也，而可以善民心。其感人深，其移风易俗。……故乐行而志清，礼修而行成，耳目聪明，血气和平，移风易俗，天下皆宁。”(《乐论》) 此之谓也。故“子在齐闻《韶》”，则“三月不知肉味”。而《韶》乐之作，虽絜壶之童子，其视精，其行端。音乐之感人，其效有如此者。

且孔子之教人，于诗乐外，尤使人玩天然之美。故习礼于树下，言志于农山，游于舞雩，叹于川上，使门弟子言志，独与曾点。点之言曰：“莫春者，春服既成，冠者五六人，童子六七人，浴乎沂，风乎舞雩，咏而归。”由此观之，则平日所以涵养其审美之情者可知矣。之人也，之境也，固将磅礴万物以为一，我即宇宙，宇宙即我也。光风霁月不足以喻其明，泰山华岳不足以语其高，南溟渤澥不足以比其大。邵子所谓“反观”者非欤？叔本华所谓“无欲之我”、希尔列尔所谓“美丽之心”者非欤？此时之境界：无希望，无恐怖，无内界之争斗，无利无害，无人无我，不随绳墨而自合于道德之法则。一人如此，则优入圣域；社会如此，则成华胥之国。孔子所谓“安而行之”，与希尔列尔所谓“乐于守道德之法则”者，舍美育无由矣。

载 1904 年《教育世界》

霍恩氏之美育说

霍恩（1874—1946，美国教育哲学家）于所著《教育之哲学》中论之曰："罗惹克兰支及斯宾塞等之研究教育理论也，于美育一事，弃而不顾，此不得不谓为缺憾。今于教育之新哲学中，其思所以弥之者矣。"由是观之，霍氏之于教育原理中，明明以美育为重，可知也。然氏于此书，却未详说美育之事，读者引为遗憾。或谓霍氏此书，别无独得之见，惟其取前说而排比之，能秩序整然，故足多尔。

厥后霍氏复著一书题曰：《教育之心理学的原理》。其第三篇为"情育论"，中有"审美教育"一章。此章之说极新，霍氏殆自以为独得之见乎？今先述其说之内容，而试加以品评焉。

审美教育之性质

感情生活之发展之最高者，美之理想也。审美教育者何？培养其趣味而发展其美之感觉也。趣味者何？美术价值之知识的辨别，与对美术制作物之情操的感受也。审美教育之最初目的，关于壮大之自然及人间，在能教育儿童，使知以美术物供其娱乐之用而已。其次，则贵能评量美术的价值。霍氏引拉斯铿（今译罗斯金，1819—1900，英国文艺批评家）之言以明之曰："凡对少年之士及非专门家之学子，不在使之自得其技术，知品评他人之技术而得其正鹄，斯为要尔。”是故为教员者，但能养成儿童俾知以智识的赏玩美术，则既足矣，其余之事非所关也。

审美教育所以为人忽视之故

以审美教育与体育、智育、德育等比较观之，则美育之为世人所忽视，亦固其宜。此其理由有三焉：（一）以其属情育之一部，故美育之于近世教育中，不能占独立之地步。如海尔巴德，即于智力及意志外，不予感情以独立之价值。此外，叔本华然也，巴尔善亦然也。要之皆以审美的感觉赅括于情操之下，而于意志论中述之矣。（二）以学科课目中所含审美的教材，以较智识的教材、道德的教材，所占范围绝小。（三）巧妙而有势力之议论，能使人于技术（按，此指艺术，下同）之重要，转至淡焉若忘。如罗惹克兰支之《教育之哲学》，于健康真理宗教道德之理想，谆谆论之；而于美之理想，则不置一辞。又如斯宾塞之《教育论》，其被影响于教育界也，殆五十年之久，而彼于审美的兴味，等闲视之，一若以文学技术为无益之举。其言曰：“文学技术占生涯之余暇之部分，故当属教育以外之事耳。”方功利主义风靡一时之秋，则美育之为其人所忽视，又奚足怪哉！

卢骚之审美教育说

卢骚之著《爱弥耳》也，其教育之一般目的，未可谓为高远。彼非欲得笃实坚固委身徇道之人物，欲学者得平和闲雅之境遇耳；非欲其进取的之计划，欲其以受动的享娱乐之生涯耳。卢氏教育之目的如此，诚未可言高远。虽然，彼于审美教育之价值，则能认见之矣。卢骚曰："使爱弥耳就一切事物感其为美而爱之，是所以固定其爱情，保持其趣味也；所以遏其自然之欲望，而使之不至堕落也；所以防其卑劣之心情，而不至以财帛为幸福也。"移卢氏此言以观今日社会之况，则诚有所见矣。

柏拉图之审美教育说

上而溯柏拉图之审美教育说，可见其较斯氏之说为更高远矣。斯氏言使吾人遂完全之生活者乃教育之所任。斯说也与柏拉图同。然所谓完全之生活，意义迥异。何则？前者仅指物质的现象，后者则于灵魂之无穷之运命亦赅而言之也。实则希腊思想所远睨于近时世界者，即所谓"美"是已。柏拉图于《理想的国家》中，有言曰："使吾人之守护者，于缺损道德的调和之幻梦中，成长为人，吾人之所不好也。愿使我技术家有天禀之能力而能辨别'美'与'雅'之真性质，则彼辈青年庶得托足于健全之境遇耳。"以言高尚之训练，殆未有逾此者也。

"健全之精神宿于健全之身体"，罗马人之理想也；而"美之精神宿于美之身体"，则希腊人之理想。吾人既欲实现前者之理想，亦愿实现后者之理想。

审美教育之重要

由上之说，则开拓儿童之美的感觉，果如何重要乎？今欲就四项详说之：（一）审美之休养的价值。（二）社会的价值。（三）心理的价值。（四）伦理的价值。

美育之休养的价值

凡人于日日为事时，不可无休养。审美的教育即为此之故，而于人间之智的生活中，诱导游戏之分子，而保持之者也。审美的感动即对美之观念之快感。而常能诱起其感情者，不外美术的建筑物、雕刻、绘画、诗歌、音乐或自然景色之类。吾人之心意，常由此等而进于幸福之冥想。而其所为冥想也，决非为吾人之利用厚生，惟归于吾人生活之完全耳。故此等诸端，实为吾人自身供娱乐之用者。一切技术决无期满足于未来之性质，惟于现在之时、现在之处，供给吾人以满足而已。是故为自身而与以快感者，即审美的快感。以此义言，则吾人即于日常之业务，亦得发见审美的要素于其中。同一事也，以审美的企图之，则感为快，不然则感为苦。吾人之灵魂，得由审美的技术而脱离苦痛。斯义也，叔本华之哲学中既言之，学者所共稔也。吾人于纷纭万状之生涯中，而得技术以维持其游戏之分子，此所以增人间之悦乐，而因之占人类生存之胜利耳。故虽谓人类之绝对的利益，全出审美教育之赐，亦何不可之有？

美育之社会学的价值

以社会学见地观之，则审美教育者，所以于完全之人类的境遇，调和人间者也。人类以科学、历史、技术为世世相遗之产业。故教育之责，即在以是等遗产传诸新时代，而期其合宜焉尔。教育者苟忽视美育，非既与教育之本义大相剌谬耶？吾人之灵魂，未达于审美的醒觉，则不［能］（具）感受之灵性。故其灵魂惟往来于科学的事实、历史的事实之范围中，欲以达人类之理想之境遇，奚其可？

美育之心理学的价值

以心理学的见地观之，则个人意识之完全发达，亦以美育为必要。意识者，不但有知的意的性质，又一面有情的性质。而美之感觉，实吾人感情生活中最高尚之部分也。偏于智识则冷静，偏于实际则褊狭，知所谓美而爱之，则冷者温，狭者广矣。人之灵魂，对偏于智识者而告之曰："汝亦知智识而外，尚有不能以知识记载者乎？"又对偏于实际者而告之曰："汝知人世所谓有益者之外，尚有有价值者乎？"真理之智识使人能辨别事物，而不能使之爱好事物。善良之意志足以匡正人心，而不足以感动人心。欲使人间生活进于完全，则尚有一义焉，曰：真知其为美而爱之者是已。

美育之伦理的价值

吾人于审美教育中，又见其有伦理的价值。欲彰斯义，诚难求详。然知其为恶德，则觉有丑劣不堪之象横于目前；知其为美德，则恍有美艳夺人之色，炫于胸中。是说也，其诸人人所皆首肯者乎？固知所谓恶德，亦有时以虚饰而惑人；所谓美德，亦有时以严酷而逆物。然见恶德而觉其丑恶时，吾之审美的灵性必斥之；见美德而觉其美丽时，吾之审美的灵性必与之：斯固无容疑议者也。不论何时何地。人间之行为常与道德的基本一致，故其内容可谓之为正。然至实现其行为之动机，则与云道德的，宁谓为审美的。要之，人间之行为，于其内容则道德的也，于其计划则审美的也。是故不为美而仅为正义之行为，终不能有伦理的价值也。

审美教育之实际问题

由前之说而知审美教育之重要矣。于是遂生一实际问题焉，曰：学校于美育一事，宜如何而后可？从吾人之要求，则亦无他，修养美的感觉，获得美的意识是已。美之感觉何以修养？曰：惟吾之耳目与灵魂，对人间及自然之事业，而觉悟其为完全之时，可以得之。譬如睹精巧之雕刻物，观神妙之绘画，闻抑扬宛转之音乐，读深邃高远之文学，山川日月，草木万物，贶我以和平之心情，畀我以昂藏之意气。于斯时也，吾人对耳目所接触者，感其物之完全，而悦乐生焉，则美之感觉克受修养之益矣。如此审美的经验，即以吾人感情的感触其所爱好之事物，而人类经验中最高尚之形式也。若于此外更求高尚之经验，其惟宗教的感情乎？然而宗教的感情，亦不外完全之美的要素，既人格化，而人间以意识的而结合之者耳。

宜利用境遇之感化

然则于学校中，开拓美之感觉，当何如乎？窃以为其最要者，在利用境遇之感化，使家庭学校之一切要素，悉为审美的，则儿童日处其中，所受感化必大矣。

宜推广技能之学科课程

今世虽以文学为美术（按，此指艺术）之一，于学科课程中颇占相宜之地位，然其余技术似不应下于文学，窃谓自今以往，亦宜注重。如唱歌，如玩奏乐器，皆宜加意肄习。如木工、金工、抟土等，宜于实用的外，更加以审美的。如于图画及其他学科，宜教以形色之要素是也。

宜改良技能科之教法

自然研究之教授法，不可仅如今日之为科学的。于读书教授法则，此后宜留意于趣味一面。初等国文科之教材，亦宜多采单简之叙事诗或神话的要素，不可过列近时之作。如是，庶可避今世言语学的文法的之弊，而于文学的形式及其理想，乃能玩味之矣。又如劝诱儿童，频往来于教育博物馆或美术陈列所，是亦其一端也。

宜创造审美的之校风

以此义言，必有自由安适及德行优秀诸点，而后可谓之为美。

宜培养审美的之教师

教师为儿童之表率，故欲举美育之功，则教者自身不可不先为审美的。故教室中之行为及日常之举动，其风采容仪不可不慎。捐时力财力之几分，肄习诗歌音乐书画之类，以为自己修养之资，斯固为教师者所不可少之要义也。

霍恩之美育说大略如右。其说平淡无精义，名高如霍氏，而其立说仅如此，似不足副吾辈之宿望。且彼自谓近人之忽视美育，一以置美育于情育之中故，而彼反自蹈其弊。又谓美育之不振，由学科课程中含美的要素者少，然美育之于学科课程中，其位置宜若何，其分量宜若何？亦未切实言之，未可谓为得也。虽然，以趣味枯索如今日之教育界，而得霍氏之热心鼓吹，一促时人之反省，其为功也固亦伟矣！今是以介绍其学说，亦窃愿今世学者知美育之重要，而相与从事研究云尔。

载 1907 年 6 月《教育世界》151 号

中国名画集序

绘画之事，由来古矣。六书之字，作始于象形；五服之章，辉煌于作会。楚壁神灵，发累臣之问；宋舍众史，受元君之图。汉代黄门，亦有画者，殷纣踞妲己之图，周公负成王之象，遂乃悬诸别殿，颁之重臣。魏晋以还，盛图故事；齐梁以降，兼写佛象。爰自开、天之际，实分南北之宗。王中允之清华，李将军之刻画，人物告退，而山水方滋。下至韩马、戴牛、张松、薛鹤，一物之工，兹焉托始。荆、关崛起，董、巨代兴。天水一朝，士夫工于画苑；有元四杰，气韵溢乎典型。胜国兴朝，代有作者，莫不家抱钟山之璧，人握赤水之珠，变化拟于鬼神，矩镬通于造化。陈之列肆，非徒照乘之光；闷之巾箱，恒有冲天之气。

今夫成而必亏者，时也；往而不复者，器也。江陵末造，见玉轴之扬灰；宣和旧藏，与降旛而北去。文武之道既尽，昆明之劫方多。即或脱坠简于秦余，逸焦桐于爨下。然且天吴紫凤，坼为牧竖之衣；长康探微，辱于酒家之壁。同糅玉石，终委泥涂。又或幸遘收藏，并遭著录，而兰亭茧纸，永闷昭陵；争坐遗文，竟分安氏。中郎帐中之帙，仅与王朗同观；博士壁中之书，不许晁生转写。此则叔疑之登龙断，众议其私；阳虎之窃大弓，当书为盗者矣。

平等阁主人英英如云，醰醰好古。慨横流之澒洞，惧名迹之榛芜。是用尽发旧藏，并征百氏。琳琊辐凑，吴越好事之家；摹写精能，欧美发明之术。八万四千之宝塔，成于崇朝；什一千百之菁英，珍兹片羽。冀以永留名墨，广被人间。

懿此一举有三美焉。夫学须才也，才须学。是以右相丹青，坐卧僧繇之侧；率更翰墨，徘徊索靖之傍。近世画师，罕窥真迹，见华亭而求北苑，执娄水以觅大痴，既摹仿之不知，于创作乎何有。今则摹从手迹，集自名家，裨我后生，殆之高矩，其美一也。且夫张而必弛者，文武之道；劳而求息者，含生之情。然走狗斗鸡，颇乖大雅；弹棋博簺，易入机心。若夫象在而遗其形，心生而无所住，则岂有对曹霸、韩幹（之马）而计驰骋之乐，见毕宏、韦偃之松而思栋梁之用。会心之处不远，鄙吝之情聿销，诚遣日之良方，亦息肩之胜地，其美二也。三代损益，文质殊尚；五方悬隔，嗜好不同。或以优美、宏壮为宗；或以古雅、简易为尚。我国绘事自为一宗，绘影绘声则有所短，一邱一壑则有所长。凡厥反唇，胥由韫椟；今则假以印刷，广彼流传。贾舶东来，慧光西被，不使蜻蜓岛国独辉日出之光，罗马故国专称美日之国，其美三也。

小有搜罗，粗谙鉴别，睹兹盛举，颇发幽情，索我弁言，贻君小引。冀夫笔精墨妙，随江汉而长流；玉躞金题，与昆仑而永固。八月。

1909 年作

墨妙亭记

昔宋孙莘老守湖州，尝集郡内自汉以来古文遗刻，为墨妙亭于府第之北，而东坡先生为之记。元乐善居士顾信，亦集其师松雪翁之书，刻诸其亭之壁，而名之曰“墨妙”。国朝顾湘舟（沅），又集明代诸贤小像墨迹，多至数百通，复以“墨妙”名其亭，于是兹名凡三用矣。湖郡遗刻，今无片石存者，松雪翁之书，世多有之，而顾氏所刻者尽亡，独湘舟所集古人小像，刻于吴中沧浪亭者，岿然尚存。其墨迹虽更兵燹，然其中烜赫者百余通，今归于日本久野元吉君。君又益以国朝名人墨迹，为亭储之，仍从其旧主人之所以名之者，而属余为之记。

昔东坡之记是亭也，假客之言，谓：“有物必归于尽”，“虽金石之坚，俄而变坏。至于功名文章，其传世垂后，犹为差久。今乃以此托于彼，是久存者反求助于速坏”。以此致疑于莘老，而自以知命者必尽人事释之。今湖州石刻，与亭俱亡，而墨妙亭之名，反藉东坡之文以传，则东坡之言信矣。夫古之有德行、政事、学问、文章者，固不藉金石翰墨以为重。苟非其人，则其金石翰墨虽存，仅足为学者考古之资，其流传之途，固已隘，而其入于人心者，固已浅矣。若是者，世固亦听其存亡，而反乐取夫德行、政事、学问、文章，其力自足以传后者之金石翰墨而宝之。何者？彼之志节度量，固与世绝殊，故其发于金石翰墨者，不因其人，亦足以自存于天壤，况其德行、政事、学问、文章，又足以垂世而行远也。久野君之所储，其人皆足以自传，其发诸翰墨者，亦皆焕乎其有文，渊乎其有味，使人得窥其树立之所以然，与夫载籍之所不能纪。虽所托者无金石之坚，吾知其精神意度，必百世不可磨灭，宜君之构斯亭以奉之也。抑乐善居士所汇刻者，松雪一人之书耳。莘老所集者稍广，亦止吴兴一郡。湘舟之藏，殆网罗有明一代之名迹，而君复以国朝人益之。以两朝人之墨迹，萃于斯亭，君之嗜古，固前无孙、顾。余也不肖，乃从东坡之后为君记斯亭，故略广东坡之意，以为君之所为，非徒尽人事而已。壬子九月。

1912 年作，收入《观堂集林》

此君轩记

竹之为物，草木中之有特操者与？群居而不倚，虚中而多节，可折而不可曲，凌寒暑而不渝其色。至于烟晨雨夕，枝梢空而叶成滴，含风弄月，形态百变，自渭川淇澳，千亩之园，以至小庭幽榭，三竿两竿，皆使人观之。其胸廓然而高，渊然而深，泠然而清，挹之而无穷，玩之而不可亵也。其超世之致，与不可屈之节，与君子为近，是以君子取焉。古之君子，其为道也盖不同，而其所以同者，则在超世之致，与不可屈之节而已。其观物也，见夫类是者而乐焉，其创物也，达夫如是者而后慊焉。如屈子之于香草，渊明之于菊，王子猷之于竹，玩赏之不足而咏叹之，咏叹之不足而斯物遂若为斯人之所专有，是岂徒有托而然哉！其于此数者，必有以相契于意言之表也。善画竹者亦然。彼独有见于其原，而直以其胸中潇洒之致，劲直之气，一寄之于画，其所写者，即其所观；其所观者，即其所畜者也。物我无间，而道艺为一，与天冥合，而不知其所以然。故古之工画竹者，亦高致直节之士为多。如宋之文与可、苏子瞻，元之吴仲圭是已。观爱竹者之胸，可以知画竹者之胸，知画竹者之胸，则爱画竹者之胸亦可知也已。日本川口国次郎君，冲澹有识度，善绘事，尤爱墨竹。尝集元吴仲圭，明夏仲昭、文徵仲诸家画竹，为室以奉之，名之曰“此君轩”。其嗜之也至笃，而搜之也至专，非其志节意度符于古君子，亦安能有契于是哉！吾闻川口君之居，在备后之国，三原之城，山海环抱，松竹之所丛生。君优游其间，远眺林木，近观图画，必有有味于余之言者。既属余为《轩记》，因书以质之，惜不获从君于其间，而日与仲圭、徵仲诸贤游，且与此君游也，壬子九月。

1912 年作，收入《观堂集林》

二田画庼记

日本备后三原城，有好古之士三：曰川口国次郎，曰久野元吉，曰隅田吉卫。三君者，相得也，余皆得与之游。川口君之所居，有此君轩，久野君有墨妙亭，余皆记之矣。既而隅田君以书来，曰："余有二田画庼者，以沈石田、恽南田之画名焉。君于二君之居既有文，请为我记之。"则应之曰："诺。"夫绘画之可贵者，非以其所绘之物也，必有我焉以寄于物之中。故自其外而观之，则山水、云树、竹石、花草，无往而非物也；自其内而观之，则子久也，仲圭也，元镇也，叔明也，吾见之于墙而闻其謦欬矣。且子久不能为仲圭，仲圭不能为元镇，元镇、叔明不能为子久、仲圭，则以子久之我，非仲圭之我，而仲圭、元镇、叔明三人者，亦各自有其我故也。画之高下，视其我之高下。一人之画之高下，又视其一时之我之高下。隅田君之于画，其知此矣（也）。夫二田之画，至不相类也。石田之苍古，南田之秀润，皆其所谓我而不能相为者也。石田之画，荟蔚沈厚，得气之夏，其所写者，虽小草拳石，而有土厚水深之势。南田之画，融和骀荡，得气之春，其所写者，虽枯木断流，而皆有苏生旁出之意。此其不能相为者也。其于书也亦然。石田之书，瘦硬如黄山谷，南田之书，秀媚如褚登善。而二田之书，又非登善、山谷之书也，彼各有所谓我者在也。不然，如石田者，生全盛之世，康宁好德，俯仰无怍，以老寿终，宜其和平简易，无奇伟之观。南田幼遭国变，至为僮仆，为浮屠，虽返初服，而枯槁以终，上有雍端之亲，下有敬通之妇，宜其忧伤憔悴，无乐生之意。而其发于书画者如此，岂非所谓真我者得之于天，不以境遇易欤？二田之画，绝不相类，而君乃合而珍弃之，是必有见于其我之高且大者，而不以其迹也。故书以谂君，并质之川口、久野二君，以为何如也？壬子十月。

1912年作，收入《观堂集林》

与铃木虎雄论诗书

前从《日本及日本人》中见大著《哀情赋》，仆本拟作《东征赋》，因之搁笔。前作《颐和园词》一首，虽不敢上希白傅，庶几追步梅村。盖白傅能不使事，梅村则专以使事为工。然梅村自有雄气骏骨，遇白描处尤有深味，非如陈云伯辈，但以秀缛见长，有肉无骨也。

1912 年 5 月 31 日

《颐和园词》称奖过实，甚愧。此词于觉罗氏一姓末路之事略具。至于全国民之运命，与其所以致病之由，及其所得之果，尚有更可悲于此者，拟为《东征赋》以发之，然手腕尚未成熟，姑俟异日。尊论梅村诗，深得中其病。至于龙跳虎卧而见起伏，鲸铿春丽而不假典故，要唯第一流之作者能之。梅村诗品，自当在上中、上下间，然有清刚之气，故不致如陈云伯辈之有肉无骨也。

1912 年 6 月 23 日

前日于《艺文》中得读大著《哀将军曲》，悲壮淋漓，得古乐府妙处。虽微以直率为嫌，而真气自不可掩。贵邦汉诗中实未见此作也。近作《蜀道难》一首，乃为端午桥尚书（方）作，谨以誊写板本呈上，唯祈教之。

1912 年 12 月 19 日

与缪荃孙论诗书

昨奉赐书并大稿《山陵挽诗》五律二首。读至“地老鹃啼血，天悲鹤语寒”，因忆去岁除夕作“可但先人知汉腊，定闻老鹤语尧年”，竟成谶语，岂不异哉！拙作排律（按指《隆裕皇太后挽歌辞》）用通韵，法古人，似但有一二字出入。若全首通押，现未能发见其例。惟国维平生于诗最不喜用僻韵，致使一诗中有骈枝之语、不达之意，故大胆为之。且其中“髯”“佥”二字（以今日已无闭口声，故亦放胆用之）阑入“盐”“咸”闭口韵，尤为从古所无。劳玉老（按指劳乃宣，字玉初，号韧叟）曾以是相规，心知其非而不能改也。要之，此等诗非为一时而作，但使后之读此诗者惜其落韵，斯亦足矣。诗止九十韵，亦由此故。若必敷衍成百韵，则难免无谓之语插入其间。先生以为何如？

至东以后得古今体诗二十首，中以长篇为多。现在拟以日本旧大木活字排印成册，名曰《壬癸集》。成后当呈教。

顷多阅金文，悟古代宫室之制，现草《明堂庙寝通考》一书，拟分三卷：已说为第一卷（已成），此驳古人说一卷，次图一卷。此书全根据金文、龟卜文，而以经证之无乎不合。

1913 年 5 月 13 日

与罗振玉论艺书

《高昌壁画》及《石鼓考释》今晨持送乙老，渠谓此事可得数旬探索，维即请其以笔记之，不知此老能细书否耳。维疑前十二图确为六朝人画，至十三图以后有回纥字者当出唐人，因前画均无笔墨可寻，而第十三图以后则笔意生动，新旧分界当在于此。

1916年9月9日

巨师画，乙老前言前半似河阳，维已疑董、巨同出右丞，巨公当有此种笔法。……维于观明以后画无丝毫把握，唯于董、巨或能知之；且如此大卷，必有惊心动魄之处，以“气象”“墨法”二者决之，可无误也。

1916年11月1日

前函言杨昇《雪山朝霁图》，写灞桥风雪意，此语大误。灞桥系平原大道，虽可望见南山，地势不得如此收缩。既非写孟浩然事，则疑其不出杨昇者误也。僧繇、探微不可得见，观其画知唐山画法已自精能（大小李虽不可见，当与赵千里辈不甚相远。惟树法犹存汉魏六朝遗意），右丞独不拘于形似，而专写物意，故为南宗第一祖。杨画实为由张、陆辈至右丞之过渡，其可贵不在《江山雪霁》下也。

1916年5月8、9、10日

又有一卷雪景，树仿郭河阳，山石仿范中立，气象甚大，未有“千里伯驹”四字隶书款（款亦佳）。乍观之似马、夏一派，用笔甚粗而实有细处。向所传千里画皆金碧细皴，惟此独粗，盖内画近景与远景之不同，此恐千里真本。不观此画，不能知马、夏渊源（惟绢甚破碎）。乙（按指沈乙庵）甚赏此画，又甚以鄙言为然，谓得后乞跋之。……恐北宋流别中当以此为压卷（图中人物面皆敷朱）也。《雪山朝霁图》乃画灞桥风雪（开元中人未必画孟浩然事），恐在中唐以后，未必出杨昇手；此画实于右丞、北苑之间得一脉络。原本赋色否?

1916年5月7日

昨日赴哈园，书画展览会所陈列者，廉泉之物为多。有一山水立幅，宫子行题为荆浩，傅以赭绛，气势浑沦，略似北苑。山皴皆大披麻，悬泉两道与松树云气，画法全同北苑，唯下幅近处山石间用方折，有似荆法。此画当出董、巨以后，然不失为名迹也。

1916年10月11日

今日晴始出，过冰泉，已自粤归，携得北苑一卷、一幅。卷未见，立幅佳甚。幅不甚阔，系画近景，上山作粗点大笔披麻皴，并有矾头，下作四五枯树及泉水，并有小草，境界全在公所藏诸幅之外。幅上诗斗有[香]（真）光题字，略云仿李思训者。画上又有纯皇题诗一首，乃内府流出在孔氏岳雪楼者，此可谓剧迹（此幅绢极细而色较白）。其一卷盖已出外，索观不得。又一石谷临巨然《烟浮远岫》立幅，气魄雄厚，局势开张，用粗点大披麻皴，全得家法，尚想见原本神观（与《唐人诗意》幅不同，而与《万壑图》相近）。

1917 年 1 月 5 日

十七日过冰泉处，始见北苑《山居图》卷，令人惊心动魄。此卷与小幅在公藏器几可与《溪山行旅》、《群峰霁雪》抗衡。因绢素干净，故精神愈觉焕发。观《山居》卷，知香光得力全在此种。

1917 年 1 月 13 日

过程冰泉……出示诸画。有巨然二幅，大而短，乃元、明间人所为（并非高手）。惟竹一大幅大佳，其竹乃渲染而成，有竹处无墨，而以淡墨为地，此法极奇；当中竹三四竿气象雄伟，一竿竹旁倒书“此竹值黄金百两”篆书二行。冰泉谓人言宋人画录中记此事，此极荒唐，惟此画尚是宋人笔墨。

1916 年 10 月 3 日

昨为看巨师画预备一切，因悟北苑《群峰霁雪》卷多作蟹爪树，乃与河阳同出右丞。巨然出北苑而变为柔细，则似河阳固其宜也。惟气魄必有异人处，如公之河阳《秋山行旅》卷气象已极不同，何况巨公？

1916 年 11 月 6 日

巨然卷，末题“钟陵寺僧巨然”六字，略似明人学钟太傅书者，似系后加。卷长二丈有余，不及三丈，前云五丈者传闻之误也。全卷石法树法全从北苑出，树根用北苑法，石有作短笔麻皴者（因画江景故），虽不辟塞而丘壑特奇（宫室亦用董、巨法，前半仍是巨法，不似河阳。山石阴阳分晓，有宋人意，或者时已有此风亦未可知），温润处不如《唐人诗意》卷，气魄亦逊。窃谓此卷若以画法求之，则笔笔皆是董、巨，惟于真气惊人之处则比《秋山行旅》《群峰霁雪》《云壑飞泉》诸图皆有逊色，用墨有极黑处，当是宋人摹本，未敢遽定为真。

1916 年 11 月 6 日

今晨又将董、巨诸画景印本展阅一过，觉昨所观《江山秋霁》卷为宋人摹本无疑。其石法树法皆有渊源，惟于元气浑沦之点不及诸图远甚，用笔清润处亦觉不如。卷中高石皴法与《雪霁图》略同；短石作短笔麻皴，求之董、巨诸图，均所未见：似合洪谷、北苑为一家者，都不如诸立幅作大披麻皴及大雨点皴也。

1916 年 11 月 7 日、8 日

黄氏巨师画卷，维前所以谓为宋摹者，即以其深厚博大之处与真迹迥异，若论画法，则笔笔是董、巨，无可訾议，与公前后各书所论略同。顾萑逸所藏即《万壑图》，得公书乃恍然。窃意北苑画法备于《溪山行旅》《群峰霁雪》二图；《万壑松风》与未见之《潇湘图》，一大一细，当另是一种笔墨，其真实本领，实于前二图见之。巨然《唐人诗意》立幅虽无确据，然非董非米，舍巨师其谁为之？其中房屋小景，用笔温润浑厚，与《溪山行旅》异曲同工。黄氏卷惟有法度尚存，气象神味皆不如诸幅远矣。海内董、巨，恐遂止此数，不知陕石一卷何如耳。

1916 年 11 月 15 日

今晨往谈，渠（按指沈乙庵）出一《杨妃出浴图》见示，笔墨极静穆，无痕迹。行笔极细，稍着色，而面目已娟秀，不似唐人之丰艳。渠谓早则北宋人，迟则元、明摹本（此画渠已购得）。殆近之。

1916 年 5 月 17 日

十二件内之王元章梅花虽系乙老推荐，而实未见此画。维见此画有气魄而不俗，又题款数行小楷极似公所藏王叔明《柳桥渔艇》卷后元章跋（俱王卷跋兼有柳法）。而此款字较小，全作小欧体，冬心平生多学此种（画心又极干净）。此幅若真，则尚算精品，唯究不知何如？亟待公观后一印证书。

1916 年 11 月 25 日

景叔以五十元得一唐六如小卷（实横幅），纸本，极干净，无款，但有“唐居士印”四字，朱字牙章。其画石学李晞古笔意，颇极秀逸，如系伪品，恐亦须石谷辈乃能为此。

1916 年 9 月 4 日

索乙老书扇，为书近作四律索和，三日间仅能交卷，而苦无精思名句。即乙老诗亦晦涩难解，不如前此诸章也。

1916 年 8 月 30 日

为乙老写去年诗稿共十八页，二日半而成。其中大有杰作，一为王聘三方伯作《醫医篇》，一为《陶然亭诗》，而去年还嘉兴诸诗议论尤佳。其《卫大夫宏演墓诗》云："亡虏幸偷生，有言皆粪土。"今日往谈，称此句，乙云："非见今日事，不能为此语。"

1916年12月28日

宋元戏曲考（节选）

自　序

凡一代有一代之文学。楚之骚，汉之赋，六代之骈语，唐之诗，宋之词，元之曲，皆所谓一代之文学，而后世莫能继焉者也。独元人之曲，为时既近，托体稍卑，故两朝史志及《四库》集部均不著于录，后世儒硕皆鄙弃不复道。而为此学者，大率不学之徒；即有一二学子以余力及此，亦未有能观其会通，窥其奥窔者。遂使一代文献郁堙沉晦者且数百年，愚甚惑焉。往者读元人杂剧而善之，以为能道人情，状物态，词采俊拔而出乎自然。盖古所未有，而后人所不能仿佛也。辄思究其渊源，明其变化之迹，以为非求诸唐、宋、辽、金之文学，弗能得也。乃成《曲录》六卷,《戏曲考原》一卷,《宋大曲考》一卷,《优语录》二卷,《古剧脚色考》一卷,《曲调源流表》一卷。从事既久，续有所得，颇觉昔人之说与自己之书罅漏日多，而手所疏记与心所领会者，亦日有增益。壬子岁暮，旅居多暇，乃以三月之力写为此书。凡诸材料，皆余所搜集；其所说明，亦大抵余之所创获也。世之为此学者自余始，其所贡于此学者，亦以此书为多。非吾辈才力过于古人，实以古人未尝为此学故也。写定有日，辄记其缘起。其有匡正补益，则俟诸异日云。海宁王国维序。

宋之小说杂戏

宋之滑稽戏虽托故事以讽时事，然不以演事实为主，而以所含之意义为主。至其变为演事实之戏剧，则当时之小说实有力焉。

小说之名起于汉，《西京赋》云："小说九百，本自虞初。"《汉书·艺文志》有"《虞初周说》九百四十四篇"。其书之体例如何，今无由知。唯《魏略》（《魏志·王粲传》注引）言："临淄侯植，诵俳优小说数千言。"则似与后世小说已不相远。六朝时，干宝、任昉、刘义庆诸人咸有著述，至唐而大盛。今《太平广记》所载，实集其成。然但为著述上之事，与宋之小说无与焉。宋之小说则不以著述为事，而以讲演为事。灌园耐得翁《都城纪胜》谓："说话有四种，一小说，一说经，一说参请，一说史书。"《梦粱录》（卷二十）所纪略同。《武林旧事》（卷六）所载诸色伎艺人中，有书会（谓说书会），有演史，有说经诨经，有小说。而《都城纪胜》《梦粱录》均谓小说人能以一朝一代故事，顷刻间提破。则演史与小说自为一类。此三书所记皆南渡以后之事，而其源则发于宋初。高承《事物纪原》（卷九）："仁宗时，市人有能谈三国事者，或采其说，加缘饰，作影人。"《东坡志林》（卷六）：王彭尝云："涂巷中小儿薄劣，为其家所厌苦，辄与钱，令聚坐，听说古话，至说三国事。"云云。《东京梦华录》（卷五）所载京瓦伎艺，有霍四究说三分，尹常卖《五代史》。至南渡以后，有敷衍《复华篇》及《中兴名将传》者，见于《梦梁录》。此皆演史之类也。其无关史事者，则谓之小说。《梦粱录》云："小说一名银字儿，如烟粉、灵怪、传奇、公案、朴刀杆棒、发发踪参等事。"则其体例亦当与演史大略相同。今日所传之《五代平话》，实演史之遗；《宣和遗事》，殆小说之遗也。此种说话以叙事为主，与滑稽剧之但托故事者迥异。其发达之迹虽略与戏曲平行，而后世戏剧之题目多取诸此，其结构亦多依仿为之，所以资戏剧之发达者实不少也。

至与戏剧更相近者，则为傀儡。傀儡起于周季，《列子》以偃师刻木人事为在周穆王时，或系寓言；然谓列子时已有此事，当不诬也。《乐府杂录》以为起于汉祖平城之围，其说无稽。《通典》则云："《窟礧子》作偶人以戏，善歌舞，本丧家乐也，汉末始用之于嘉会。"其说本于应劭《风俗通》，则汉时固确有此戏矣。汉时此戏结构如何，虽不可考，然六朝之际，此戏已演故事。《颜氏家训·书证篇》："或问：俗名傀儡子为郭秃，有故实乎？答曰：《风俗通》云，诸郭皆讳秃，当是前世有姓郭而病秃者，滑稽调戏，故后人为其象，呼为郭秃。"唐时傀儡戏中之郭郎实出于此，至宋犹有此名。唐之傀儡亦演故事，《封氏闻见记》（卷六）："大历中，太原节度辛景云葬日，诸道节度使使人修祭。范阳祭盘最为高大，刻木为尉迟鄂公、突厥斗将之象，机关动作，不异于生。祭讫，灵车欲过，使者请曰：对数未尽。又停车，设项羽与汉高祖会鸿门之象，良久乃毕。"至宋而傀儡最盛，种类亦最繁，有悬丝傀儡、走线傀儡、杖头傀儡、药发傀儡、肉傀儡、水傀儡各种（见《东京梦华录》《武林旧事》《梦粱录》）。《梦粱录》云："凡傀儡敷衍烟粉、灵怪、铁骑、公案、史书，历代君臣将相故事。话本或讲史，或作杂剧，或如崖词。（中略）

大抵弄此，多虚少实，如《巨灵神》《朱姬大仙》等也。”则宋时此戏实与戏剧同时发达，其以敷衍故事为主，且较胜于滑稽剧。此于戏剧之进步上，不能不注意者也。

傀儡之外，似戏剧而非真戏剧者，尚有影戏。此则自宋始有之。《事物纪原》（卷九）：“宋朝仁宗时，市人有能谈三国事者，或采其说加缘饰、作影人，始为魏、吴、蜀三分战争之象。”《东京梦华录》所载京瓦伎艺，有影戏，有乔影戏。南宋尤盛。《梦粱录》云：“有弄影戏者，元汴京初以素纸雕簇，自后人巧工精，以羊皮雕形，以彩色装饰，不致损坏。（中略）其话本与讲史书者颇同，大抵真假相半。公忠者雕以正貌，奸邪者刻以丑形，盖亦寓褒贬于其间耳。”然则影戏之为物，专以演故事为事，与傀儡同。此亦有助于戏剧之进步者也。

以上三者，皆以演故事为事。小说但以口演，傀儡、影戏则为其形象矣，然而非以人演也；其以人演者，戏剧之外，尚有种种，亦戏剧之支流，而不可不一注意也。

“三教”《东京梦华录》（卷十）：“十二月，即有贫者，三教人为一火，装妇人、神、鬼，敲锣击鼓，巡门乞钱，俗呼为‘打夜胡’。”

“讶鼓”《续墨客挥犀》（卷七）：“王子醇初平熙河，边陲宁静，讲武之暇，因教军士为讶鼓戏，数年间遂盛行于世。其举动、舞装之状与优人之词，皆子醇初制也。或云：子醇初与西人对阵，兵未交，子醇命军士百余人装为讶鼓队，绕出军前，虏见皆愕眙，进兵奋击，大破之。”《朱子语类》（卷一百三十九）亦云：“如舞讶鼓，其间男子、妇人、僧道、杂色无所不有，但都是假的。”

“舞队”《武林旧事》（卷二）所记舞队，全与前二者相似。今列其目（原著所列之目略），其中装作种种人物，或有故事。其所以异于戏剧者，则演剧有定所，此则巡回演之。然后来戏名、曲名中多用其名目，可知其与戏剧非毫无关系也。

元剧之结构

元剧以一宫调之曲一套为一折。普通杂剧，大抵四折，或加楔子。按《说文》（六）：“楔，櫼也。”今木工于两木间有不固处，则斫木札入之，谓之楔子，亦谓之櫼。杂剧之楔子亦然，四折之外，意有未尽，则以楔子足之。昔人谓北曲之楔子即南曲之引子，其实不然。元剧楔子或在前，或在各折之间，大抵用【仙吕·赏花时】或【端正好】二曲。唯《西厢记》第二剧中之楔子，则用【正宫·端正好】全套，与一折等，其实亦楔子也。除楔子计之，仍为四折。唯纪君祥之《赵氏孤儿》，则有五折，又有楔子。此为元剧变例。又张时起之《赛花月秋千记》，今虽不存，然据《录鬼簿》所纪，则有六折。此外无闻焉。若《西厢记》之二十折，则自五剧构成，合之为一，分之则仍为五。此在元剧中，亦非仅见之作。如吴昌龄之《西游记》，其书至国初尚存，其著录于《也是园书目》者云四卷，见于曹寅《楝亭书目》者云六卷。明凌濛初《西厢序》云：“吴昌龄《西游记》有六本。”则每本为一卷矣。凌氏又云：“王实甫《破窑记》《丽春园》《贩茶船》《进梅谏》《于公高门》，各有二本；关汉卿《破窑记》《浇花旦》，亦各有二本。”此必与《西厢记》同一体例。此外，《录鬼簿》所载，如李文蔚有《谢安东山高卧》，下注云“赵公辅次本”；而于赵公辅之《晋谢安东山高卧》下，则注云“次本”。武汉臣有《虎牢关三战吕布》，下注云“郑德辉次本”；而于郑德辉此剧下，则注云“次本”。盖李、武二人作前本。而赵、郑续之，以成一全体者也。余如武汉臣之《曹伯明错勘赃》，尚仲贤之《崔护谒浆》，赵子祥之《太祖夜斩石守信》《风月害夫人》，赵文殷之《宦门子弟错立身》，金仁杰之《蔡琰还朝》，皆注“次本”。虽不言所续何人，当亦续《西厢记》之类。然此不过增多剧数，而每剧之以四折为率，则固无甚出入也。

杂剧之为物，合动作、言语、歌唱三者而成。故元剧对此三者，各有其相当之物。其纪动作者曰“科”，纪言语者曰“宾”曰“白”，纪所歌唱者曰“曲”。元剧中所纪动作皆以“科”字终，后人与“白”并举，谓之“科白”，其实自为二事。《辍耕录》纪金人院本，谓教坊魏、武、刘三人鼎新编辑，魏长于念诵，武长于筋斗，刘长于科泛。“科泛”，或即指动作而言也。宾、白，则余所见周宪王自刊杂剧，每剧题目下即有“全宾”字样。明姜南《抱璞简记》（《续说郛》卷十九）曰：“北曲中有全宾全白，两人相说曰宾，一人自说曰白。”则宾、白又有别矣。臧氏《元曲选序》云：“或谓元取士有填词科，（中略）主司所定题目外，止曲名及韵耳。其宾白则演剧时伶人自为之，故多鄙俚蹈袭之语。”填词取士说之妄，今不必辩。至谓宾白为伶人自为，其说亦颇难通。元剧之词，大抵曲、白相生；苟不兼作白，则曲亦无从作，此最易明之理也。今就其存者言之，则《元曲选》中百种，无不有白，此犹可诿为明人之作也；然白中所用之语，如马致远《荐福碑》剧中之“曳剌”、郑光祖《王粲登楼》剧中之“点汤”，一为辽、金人语，一为宋人语，明人已无此语，必为当时之作无疑。至《元刊杂剧三十种》，则有曲无白者诚多，然其与《元曲选》复出者，字句亦略相同，而有曲、白相生之妙，恐坊间刊刻时删去其白，如今日坊刊脚本然。盖白则人人皆知，而曲则听者不能尽解。此种刊本当为供观剧者之便故也。且元剧中宾白鄙俚蹈袭者固多，然其杰作，如《老生儿》等，其妙处全在于白，苟去其白，则其曲全无意味。欲强分为二人之作，安可得也？且周宪王时代去元未远，观其所自刊杂剧，曲、白俱全，则元剧亦当如此，愈以知臧说之不足信矣。

元剧每折唱者止限一人，若末若旦，他色则有白无唱；若唱，则限于楔子中；至四折中之唱者，则非末若旦不可。而末若旦所扮者，不必皆为剧中主要之人物；苟剧中主要之人物于此折不唱，则亦退居他色，而以末若旦扮唱者，此一定之例也。然亦有出于例外者，如关汉卿之《蝴蝶梦》第三折，则旦之外，俫儿亦唱。尚仲贤之《气英布》第四折，则正末扮探子唱，又扮英布唱。张国宾之《薛仁贵》第三折，则丑扮禾旦上唱，正末复扮伴哥唱。范子安之《竹叶舟》第三折，则首列御寇唱，次正末唱。然《气英布》剧探子所唱已至尾声，故元刊本及《雍熙乐府》所选，皆至尾声而止，后三曲或后人所加。《蝴蝶梦》《薛仁贵》中，俫及丑所唱者，既非本宫之曲，且刊本中皆低一格，明非曲。《竹叶舟》中，列御寇所唱明曰道情，至下【端正好】曲，乃入正剧。盖但以供点缀之用，不足破元剧之例也。唯《西厢记》第一、第四、第五剧之第四折，皆以二人唱。今《西厢》只有明人所刊，其为原本如此，抑由后人窜入，则不可考矣。

元剧脚色中，除末、旦主唱，为当场正色外，则有净有丑，而末、旦二色支派弥繁。今举其见于元剧者，则末有外末、冲末、二末、小末；旦有老旦、大旦、小旦、旦徕、色旦、搽旦、外旦、贴旦等。《青楼集》云："凡伎以墨点破其面为花旦"，元剧中之色旦、搽旦殆即是也。元剧有外旦、外末，而又有外；外则或扮男，或扮女，当为外末、外旦之省。外末、外旦之省为外，犹贴旦之后省为贴也。按《宋史·职官志》："凡直馆院，则谓之馆职；以他官兼者，谓之贴职。"又《武林旧事》（卷四）"乾淳教坊乐部"有衙前，有和顾，而和顾人中，如朱和、蒋宁、王原全下，皆注云"次贴衙前"，意当与贴职之贴同，即谓非衙前而充衙前（"衙前"，谓临安府乐人）也。然则曰冲、曰外、曰贴，均系一义，谓于正色之外，又加某色以充之也。此外见于元剧者，以年龄言，则有若孛老、卜儿、徕儿；以地位、职业言，则有若孤、细酸、伴歌、禾旦、曳刺、邦老，皆有某色以扮之，而其自身则非脚色之名，与宋、金之脚色无异也。

元剧中歌者与演者之为一人，固不待言。毛西河《词话》独创异说，以为演者不唱、唱者不演。然《元曲选》各剧明云"末唱""旦唱"；《元刊杂剧》亦云"正末开"或"正末放"，则为旦、末自唱可知。且毛氏"连厢"之说，元、明人著述中从未见之，疑其言犹蹈明人杜撰之习；即有此事，亦不过演剧中之一派，而不足以概元剧也。

演剧时所用之物，谓之"砌末"。焦理堂《易余籥录》（卷十七）曰："《辍耕录》有'诸杂砌'之目，不知所谓。按元曲《杀狗劝夫》祗从取砌末上，谓所埋之死狗也；《货郎旦》外旦取砌末付净科，谓金银财宝也；《梧桐雨》正末引宫娥挑灯拿砌末上，谓七夕乞巧筵所设物也；《陈抟高卧》外扮使臣引卒子捧砌末上，谓诏书纁帛也；《冤家债主》和尚交砌末科，谓银也；《误入桃源》正末扮刘晨、外扮阮肇带砌末上，谓行李包裹或采药器具也；又净扮刘德引沙三、王留等将砌末上，谓春社中羊酒、纸钱之属也。”余谓焦氏之解砌末是也；然以之与杂砌相牵合，则颇不然。杂砌之解，已见上文，似与砌末无涉。砌末之语虽始见元剧，必为古语。按宋无名氏《续墨客挥犀》（卷七）云：“问‘今州郡有公宴，将作曲，伶人呼细末将来，此是何义？’对曰：‘凡御宴进乐，先以弦声发之，然后众乐和之，故号丝抹将来。’今所在起曲，遂先之以竹声，不唯讹其名，亦失其实矣。”又张表臣《珊瑚钩诗话》（卷二）亦云：“始作乐必曰‘丝抹将来’，亦唐以来如是。”余疑“砌末”或为“细末”之讹，盖“丝抹”一语既讹为“细末”，其义已亡，而其语独存，遂误视为“将某物来”之意，因以指演剧时所用之物耳。

元剧之文章

元杂剧之为一代之绝作，元人未之知也。明之文人始激赏之，至有以关汉卿比司马子长者（韩文靖邦奇）。三百年来，学者、文人大抵屏元剧不观；其见元剧者，无不加以倾倒，如焦理堂《易余籥录》之说，可谓具眼矣。焦氏谓一代有一代之所胜，欲自楚骚以下撰为一集，汉则专取其赋，魏晋六朝至隋则专录其五言诗，唐则专录其律诗，宋专录其词，元专录其曲。余谓律诗与词固莫盛于唐、宋，然此二者果为二代文学中最佳之作否，尚属疑问。若元之文学，则固未有尚于其曲者也。元曲之佳处何在？一言以蔽之，曰：自然而已矣。古今之大文学，无不以自然胜，而莫著于元曲。盖元剧之作者，其人均非有名位、学问也；其作剧也，非有藏之名山、传之后人之意也。彼以意兴之所至为之，以自娱娱人。关目之拙劣所不问也，思想之卑陋所不讳也，人物之矛盾所不顾也。彼但摹写其胸中之感想与时代之情状，而真挚之理与秀杰之气时流露于其间。故谓元曲为中国最自然之文学，无不可也。若其文字之自然，则又为其必然之结果，抑其次也。

明以后传奇，无非喜剧，而元则有悲剧在其中。就其存者言之，如《汉宫秋》《梧桐雨》《西蜀梦》《火烧介子推》《张千替杀妻》等，初无所谓先离后合、始困终亨之事也。其最有悲剧之性质者，则如关汉卿之《窦娥冤》，纪君祥之《赵氏孤儿》。剧中虽有恶人交构其间，而其蹈汤赴火者，仍出于其主人翁之意志，即列之于世界大悲剧中，亦无愧色也。

元剧关目之拙，固不待言。此由当日未尝重视此事，故往往互相蹈袭，或草草为之。然如武汉臣之《老生儿》、关汉卿之《救风尘》，其布置、结构，亦极意匠惨淡之致，宁较后世之传奇有优无劣也。

然元剧最佳之处，不在其思想、结构，而在其文章。其文章之妙，亦一言以蔽之，曰：有意境而已矣。何以谓之有意境？曰：写情则沁人心脾，写景则在人耳目，述事则如其口出是也。古诗词之佳者无不如是，元曲亦然。明以后，其思想、结构尽有胜于前人者，唯意境则为元人所独擅。兹举数例以证之。其言情、述事之佳者，如关汉卿《谢天香》第三折：

【正宫端正好】我往常在风尘为歌妓，不过多见了几个筵席，回家来，仍作个自由鬼。今日倒落在无底磨牢笼内。

马致远《任风子》第二折：

【正宫端正好】添酒力，晚风凉，助杀气，秋云暮，尚兀自脚趔趄，醉眼模糊。他化的我一方之地都食素，单则俺杀生的无缘度。

语语明白如画，而言外有无穷之意。又如《窦娥冤》第二折：

【斗虾蟆】空悲戚，没理会，人生死，是轮回。感著这般病疾，值著这般时势，可是风寒暑湿，或是饥饱劳役，各人征候自知。人命关天关地，别人怎生替得？寿数非干一世，相守三朝五夕。说甚一家一计，又无羊酒缎匹，又无花红财礼。把手为活过日，撒手如同休弃。不是窦娥忤逆，生怕旁人论议，不如听咱劝你，认个自家晦气。割舍的一具棺材，停置几件布帛，收拾出了咱家门里，送入他家坟地。这不是你那从小儿年纪，指脚的夫妻。我其实不关亲，无半点凄怆泪。休得要，心如醉，意似痴，便这等嗟嗟怨怨、哭哭啼啼。

此一曲直是宾白，令人忘其为曲。元初所谓当行家，大率如此。至中叶以后．已罕觏矣。其写男女离别之情者，如郑光祖《倩女离魂》第三折：

【醉春风】空服遍酾眩药，不能痊。知他这腌脏病何日起？要好时，直等的见他时。也只为这症候，因他上得得。一会家缥渺（缈）呵，忘了魂灵；一会家精细呵，使著躯壳；一会家混沌呵，不知天地。

【迎仙客】日长也，愁更长；红稀也，信尤稀；春归也，奄然人未归。我则道，相别也数十年；我则道，相隔著数万里。为数归期，则那竹院里刻遍琅玕翠。

此种词，如弹丸脱手，后人无能为役。唯南曲中《拜月》《琵琶》差能近之。

至写景之工者，则马致远《汉宫秋》第三折：

【梅花酒】呀！对著这迥野凄凉，草色已添黄。兔起早迎霜，犬褪得毛苍，人搠起缨枪，马负著行装，车运著餱粮，打猎起围场。他、他、他伤心辞汉主，我、我、我携手上河梁；他部从入穷荒，我銮舆返咸阳。返咸阳，过宫墙；过宫墙，绕回廊；绕回廊，近椒房；近椒房，月昏黄；月昏黄，夜生凉；夜生凉，泣寒螀；泣寒螀，绿纱窗；绿纱窗，不思量！

【收江南】呀！不思量，便是铁心肠；铁心肠，也愁泪滴千行。美人图今夜挂昭阳，我那里供养，便是我，高烧银烛照红妆。

（尚书云）陛下回銮罢，娘娘去远了也。（驾唱）：

【鸳鸯煞】我煞大臣行、说一个推辞谎，又则怕笔尖儿那火编修讲。不见那花朵儿精神，怎趁那草地里风光？唱道伫立多时，徘徊半晌，猛听的塞雁南翔，呀呀的声嘹亮，却原来满目牛羊，是兀那载离恨的毡车半坡里响。

以上数曲，真所谓写情则沁人心脾，写景则在人耳目，述事则如其口出者。第一期之元剧，虽浅深、大小不同，而莫不有此意境也。

古代文学之形容事物也，率用古语，其用俗语者绝无。又所用之字数亦不甚多。独元曲以许用衬字故，故辄以许多俗语，或以自然之声音形容之，此自古文学上所未有也。兹举其例，如《西厢记》第四剧第四折：

【雁儿落】绿依依，墙高柳半遮；静悄悄，门掩清秋夜；疏剌剌，林梢落叶风；昏惨惨，云际穿窗月。

【得胜令】惊觉我的是颤巍巍竹影走龙蛇，虚飘飘庄周梦蝴蝶，絮叨叨促织儿无休歇，韵悠悠砧声儿不断绝。痛煞煞伤别，急煎煎好梦儿应难舍。冷清清的咨嗟，娇滴滴玉人儿何处也？

此犹仅用三字也。其用四字者，如马致远《黄粱梦》第四折：

【叨叨令】我这里稳丕丕土炕上迷彫没腾的坐，那婆婆将粗剌剌陈米喜收希和的播，那蹇驴儿柳阴下舒著足乞留恶滥的卧，那汉子去脖项上婆娑没索的摸。你则早醒来了也么哥，你则早醒来了也么哥，可正是窗前弹指时光过。

其更奇绝者，则如郑光祖《倩女离魂》第四折：

【古水仙子】全不想这姻亲是旧盟，则待教焕庙火刮刮匝匝烈焰生，将水面上鸳鸯忒楞楞腾分开交颈，疏剌剌沙鞴雕鞍撒了锁鞓，厮琅琅汤偷香处喝号提铃，支楞楞争弦断了不续碧玉筝，吉丁丁珰精砖上摔破菱花镜，扑通通东井底坠银瓶。

又无名氏《货郎旦》剧第三折，则所用叠字其数更多：

【货郎儿六转】我则见黯黯惨惨天涯云布，万万点点潇湘夜雨。正值著窄窄狭狭沟沟堑堑路崎岖，黑黑黯黯彤云布，赤留赤律潇潇洒洒断断续续出出律律忽忽鲁鲁阴云开处，霍霍闪闪电光星注；正值著飕飕摔摔风，淋淋渌渌雨，高高下下凹凹答答一水模糊，扑扑簌簌湿湿渌渌疏林人物，却便似一幅惨惨昏昏潇湘水墨图。

由是观之，则元剧实于新文体中自由使用新言语，在我国文学中，于《楚辞》《内典》外，得此而三。然其源远在宋、金二代，不过至元而大成。其写景、抒情、述事之美，所负于此者实不少也。

元曲分三种，杂剧之外，尚有小令、套数。小令只用一曲，与宋词略同；套数则合一宫调中诸曲为一套，与杂剧之一折略同。但杂剧以代言为事，而套数则以自叙为事，此其所以异也。元人小令、套数之佳，亦不让于其杂剧。兹各录其最佳者一篇，以示其例，略可以见元人之能事也。

小令《天净沙》（无名氏。此词庶斋《老学丛谈》及元刊

《乐府新声》均不著名氏。《尧山堂外纪》以为马致远撰，朱竹坨《词综》仍之，不知何据）：

枯藤老树昏鸦，小桥流水人家，古道西风瘦马，夕阳西下，断肠人在天涯。

套数《秋思》（马致远。见元刊《中原音韵》《乐府新声》）：

【双调夜行船】百岁光阴如梦蝶，重回首，往事堪嗟。昨日春来，今朝花谢，急罚盏，夜阑灯灭。

【乔木查】秦宫汉阙，做衰草牛羊野，不恁渔樵无话说。纵荒坟横断碑，不辨龙蛇。

【庆宣和】投至狐踪与兔穴，多少豪杰，鼎足三分半腰折，魏耶？晋耶？

【落梅风】天教富，不待奢，无多时好天良夜。看钱奴硬将心似铁，空辜负锦堂风月。

【风入松】眼前红日又西斜，疾似下坡车，晚来清镜添白雪，上床与鞋履相别，莫笑鸠巢计拙，葫芦提一就装呆。

【拨不断】利名竭，是非绝，红尘不向门前惹，绿树偏宜屋角遮，青山正补墙东缺，竹篱茅舍。

【离亭宴煞】蛩吟罢，一枕才宁贴；鸡鸣后，万事无休歇；算名利，何年是彻？密匝匝蚁排兵，乱纷纷蜂酝蜜，闹穰穰蝇争血。裴公“绿野堂”，陶令“血莲社”。爱秋来那些和露滴黄花，带霜烹紫蟹，煮酒烧红叶。人生有限杯，几个登高节？嘱咐与顽童记者：便北海探吾来，道东篱醉了也。

《天净沙》小令绝是天籁，仿佛唐人绝句。马东篱《秋思》一套，周德清评之，以为万中无一。明王元美等亦推为套数中第一，诚定论也。此二体虽与元杂剧无涉，可知元人之于曲，天实纵之，非后世所能望其项背也。

元代曲家，自明以来称关、马、郑、白。然以其年代及造诣论之，宁称关、白、马、郑为妥也。关汉卿一空依傍，自铸伟词，而其言曲尽人情，字字本色，故当为元人第一。白仁甫、马东篱高华雄浑，情深文明；郑德辉清丽芊绵，自成馨逸，均不失为第一流。其余曲家皆在四家范围内，惟宫大用瘦硬通神，独树一帜。以唐诗喻之，则汉卿似白乐天，仁甫似刘梦得，东篱似李义山，德辉似温飞卿，而大用则似韩昌黎；以宋词喻之，则汉卿似柳耆卿，仁甫似苏东坡，东篱似欧阳永叔，德辉似秦少游，大用似张子野。虽地位不必同，而品格则略相似也。明宁献王《曲品》跻马致远于第一，而抑汉卿于第十。盖元中叶以后，曲家多祖马、郑，而祧汉卿，故宁王之评如是，其实非笃论也。

元剧自文章上言之，优足以当一代之文学；又以其自然故，故能写当时政治及社会之情状，足以供史家论世之资者不少。又曲之多用俗语，故宋、金、元三朝遗语所存甚多。辑而存之、理而董之，自足为一专书。此又言语学上之事，而非此书之所有事也。

余　论

一

由此书所研究者观之，知我国戏剧汉、魏以来，与百戏合，至唐而分为歌舞戏及滑稽戏二种；宋时滑稽戏尤盛，又渐藉歌舞以缘饰故事；于是向之歌舞戏不以歌舞为主，而以故事为主，至元杂剧出而体制遂定。南戏出而变化更多，于是我国始有纯粹之戏曲；然其与百戏及滑稽戏之关系亦非全绝。此于第八章论古剧之结构时已略及之。元代亦然。意大利人马哥朴禄《游记》中，记元世祖时曲宴礼节云："宴毕彻（撤）案，伎人入，优戏者、奏乐者、倒植者、弄手技者，皆呈艺于大汗之前，观者大悦。"则元时戏剧亦与百戏合演矣。明代亦然。吕毖《明宫史》（木集）谓："钟鼓司过锦之戏约有百回，每回十余人不拘。浓淡相间，雅俗并陈，全在结局有趣。如说笑话之类，又如杂剧故事之类，各有引旗一对，锣鼓送上。所装扮者，备极世间骗局俗态，并闺阃拙妇呆男，及市井商匠、刁赖词讼、杂要把戏等项。"则与宋之杂扮略同。至杂要把戏，则又兼及百戏，虽在今日，犹与戏剧未尝全无关系也。

二

由前章观之，则北剧、南戏皆至元而大成，其发达亦至元代而止。嗣是以后，则明初杂剧，如谷子敬、贾仲名辈，矜重典丽，尚似元代中叶之作；至仁、宣间，而周宪王有燉，最以杂剧知名，其所著见于《也是园书目》者共三十种。即以平生所见者论，其所自刊者九种，刊于《杂剧十段锦》者十种，而一种复出，共得十八种。其词虽谐稳，然元人生气至是顿尽，且中颇杂以南曲，且每折唱者不限一人，已失元人法度矣。此后唯王渼陂九思、康对山海，皆以北曲擅场；而二人所作《杜甫游春》《中山狼》二剧，均鲜动人之处。徐文长渭之《四声猿》，虽有佳处，然不逮元人远甚。至明季所谓杂剧，如汪伯玉道昆、陈玉阳与郊、梁伯龙辰鱼、梅禹金鼎祚、王辰玉衡、卓珂月人月所作，搜于《盛明杂剧》中者，既无定折，又多用南曲，其词亦无足观。南戏亦然。此戏明中叶以前作者寥寥，至隆、万后始盛，而尤以吴江沈伯英璟、临川汤义仍显祖为巨擘。沈氏之词以合律称，而其文则庸俗不足道；汤氏才思诚一时之隽，然较之元人，显有人工与自然之别。故余谓北剧、南戏限于元代，非过为苛论也。

三

杂剧、院本、传奇之名，自古迄今，其义颇不一。宋时所谓杂剧，其初殆专指滑稽戏言之。孔平仲《谈苑》(卷五)："山谷云：作诗正如作杂剧，初时布置，临了须打诨。"吕本中《童蒙训》亦云："如作杂剧，打猛诨人，却打猛诨出。"《梦粱录》亦云："杂剧全用故事，务在滑稽。"故第二章所集之滑稽戏，宋人恒谓之杂剧，此杂剧最初之意也。至《武林旧事》所载之官本杂剧段数，则多以故事为主，与滑稽戏截然不同；而亦谓之杂剧，盖其初本为滑稽戏之名，后扩而为戏剧之总名也。元杂剧又与宋官本杂剧截然不同。至明中叶以后，则以戏曲之短者为杂剧，其折数则自一折以至六七折皆有之，又舍北曲而用南曲，又非元人所谓杂剧矣。

院本之名义亦不一。金之院本与宋杂剧略同。元人既创新杂剧，而又有院本，则院本殆即金之旧剧也。然至明初，则已有谓元杂剧为院本者，如《草木子》所谓"北院本特盛，南戏遂绝"者，实谓北杂剧也。顾起元《客座赘语》谓："南都万历以前大席，则用教坊打院本，乃北曲四大套者。"此亦指北杂剧言之也。

然明文林《琅玡漫钞》(《苑录汇编》卷一百九十七）所纪太监阿丑打院本事，与《万历野获编》(卷二十六）所纪郭武定家优人打院本事，皆与唐、宋以来之滑稽戏同，则犹用金、元院本之本义也。但自明以后，大抵谓北剧或南戏为院本。《野获编》谓“逮本朝，院本久不传；今尚称院本者，犹沿宋、元之旧也。金章宗时，董解元《西厢》尚是院本模范”云云。其以《董西厢》为院本固误，然可知明以后所谓院本，实与戏曲之意无异也。

传奇之名，实始于唐。唐裴铏所作《传奇》六卷，本小说家言，为传奇之第一义也。至宋，则以诸宫调为传奇，《武林旧事》所载诸色伎艺人，诸宫调传奇有高郎妇、黄淑卿、王双莲、袁太道等。《梦粱录》亦云：“说唱诸宫调，昨汴京有孔三传，编成传奇、灵怪，入曲说唱。”即《碧鸡漫志》所谓“泽州孔三传首唱诸宫调古传，士大夫皆能诵之”者也。则宋之传奇，即诸宫调，一谓之古传，与戏曲亦无涉也。元人则以元杂剧为传奇，《录鬼簿》所著录者均为杂剧，而录中则谓之传奇。又，杨铁崖《元宫词》云：“《尸谏灵公》演传奇，一朝传到九重知。奉宣赍与中书省，诸路都教唱此词。”(按：《尸谏灵公》乃鲍天祐所撰杂剧，则元人均以杂剧为传奇也。）至明，人则以戏曲之长者为传奇（如沈璟《南九宫谱》等），以与北杂剧相别。乾隆间，黄文旸编《曲海目》，遂分戏曲为杂剧、传奇二种。余曩作《曲录》，从之。盖传奇之名，至明凡四变矣。

戏文之名出于宋、元之间，其意盖指南戏。明人亦多用此语，意亦略同。唯《野获编》始云：“自北有《西厢》，南有《拜月》，杂剧变为戏文，以至《琵琶》，遂演为四十余折，几倍杂剧。”则戏曲之长者，不问北剧、南戏，皆谓之戏文，意与明以后所谓传奇无异。而戏曲之长者，北少而南多，故亦恒指南戏。要之，意义之最少变化者，唯此一语耳。

至我国乐曲与外国之关系，亦可略言焉。三代之顷，庙中已列夷蛮之乐。汉张骞之使西域也，得《摩诃兜勒》之曲以归，至晋吕光平西域，得龟兹之乐，而变其声。魏太武平河西得之，谓之西凉乐；魏、周之际，遂谓之国伎。龟兹之乐，亦于后魏时入中国。至齐、周二代，而胡乐更盛。《隋志》谓："齐后主唯好胡戎乐，耽爱无已，于是繁乎淫声，争新哀怨，故曹妙达、安未弱、安马驹之徒，至有封王开府者（曹妙达之祖曹婆罗门，受琵琶曲于龟兹商人，盖亦西域人也），遂服簪缨而为伶人之事。后主亦能自度曲，亲执乐器，悦玩无厌，使胡儿、阉官之辈齐唱和之。"北周亦然。太祖辅魏之时，得高昌伎，教习以备飨宴之礼。及武帝天和六年，罗掖庭四夷乐，其后帝娉皇后于北狄，得其所获康国、龟兹等乐，更杂以高昌之旧，并于大司乐习焉。故齐、周二代并用胡乐。至隋初，而太常雅乐，并用胡声；而龟兹之八十四调，遂由苏祇婆郑译而显。当时九部伎，除清乐、文康为江南旧乐外，余七部皆胡乐也。有唐仍之，其大曲、法曲，大抵胡乐，而龟兹之八十四调，其中二十八调尤为盛行。宋教坊之十八调，亦唐二十八调之遗物；北曲之十二宫调与南曲之十三宫调，又宋教坊十八调之遗物也。故南北曲之声，皆来自外国。而曲亦有自外国来者，其出于大曲、法曲等，自唐以前入中国者且勿论，即以宋以后言之，则徽宗时蕃曲复盛行于世。吴曾《能改斋漫录》（卷一）云，徽宗"政和初有旨，立赏钱五百千，若用鼓板改作北曲子，并著北服之类，并禁止，支赏。其后民间不废鼓板之戏，第改名太平鼓"云云。至"绍兴年间，有张五牛大夫听动鼓板，中有【太平令】，因撰为赚”。（见上）则北曲中之【太平令】与南曲中之【太平歌】皆北曲子。又第四章所载南宋赚词，其结构似北曲而曲名似南曲者，亦当自蕃曲出。而南北曲之赚，又自赚词出也。至宣和末，京师街巷鄙人多歌蕃曲，名曰【异国朝】【四国朝】【六国朝】【蛮牌序】【蓬蓬花】等，其言至俚，一时士大夫皆能歌之（见上）。今南北曲中尚有【四国朝】【六国朝】【蛮牌儿】，此亦蕃曲，而于宣和时已入中原矣。至金人入主中国，而女真乐亦随之而入。《中原音韵》谓：“女真【风流体】等乐章，皆以女真人音声歌之。虽字有舛讹，不伤于音律者，不为害也。”则北曲双调中之【风流体】等，实女真曲也。此外，如北曲黄钟宫之【者刺古】，双调之【阿纳忽】【古都白】【唐兀歹】【阿忽令】，越调之【拙鲁速】，商调之【浪来里】，皆非中原之语，亦当为女真或蒙古之曲也。

以上就乐曲之方面论之。至于戏剧，则除《拨头》一戏自西域入中国外，别无所闻。辽、金之杂剧院本，与唐、宋之杂剧结构全同。吾辈宁谓辽、金之剧皆自宋往，而宋之杂剧不自辽、金来，较可信也。至元剧之结构，诚为创见；然创之者实为汉人。而亦大用古剧之材料与古曲之形式，不能谓之自外国输入也。

至我国戏曲之译为外国文字也，为时颇早。如《赵氏孤儿》，则法人特赫尔特（Du Halde）实译于千七百六十二年，至一千八百三十四年，而裘利安（Julian）又重译之。又英人大维斯（Davis）之译《老生儿》在千八百十七年，其译《汉宫秋》在千八百二十九年。又，裘利安所译，尚有《灰阑记》《连环计》《看钱奴》，均在千八百三四十年间。而拔残（Bazin）氏所译尤多，如《金钱记》《鸳鸯被》《赚蒯通》《合汗衫》《来生债》《薛仁贵》《铁拐李》,《秋胡戏妻》《倩女离魂》《黄粱梦》《昊天塔》《忍字记》《窦娥冤》《货郎旦》，皆其所译也。此种译书，皆据《元曲选》；而《元曲选》百种中，译成外国文者已达三十种矣。

1913 年连载于《东方杂志》

第二辑　人间词话

人间词话

（一）

词以境界为最上。有境界则自成高格，自有名句。五代、北宋之词所以独绝者在此。

（二）

有造境，有写境，此理想与写实二派之所由分。然二者颇难分别，因大诗人所造之境必合乎自然，所写之境亦必邻于理想故也。

（三）

有有我之境，有无我之境。“泪眼问花花不语，乱红飞过秋千去。”“可堪孤馆闭春寒，杜鹃声里斜阳暮。”有我之境也。“采菊东篱下，悠然见南山。”“寒波澹澹起，白鸟悠悠下。”无我之境也。有我之境，以我观物，故物皆著我之色彩。无我之境，以物观物，故不知何者为我，何者为物。古人为词，写有我之境者为多，然未始不能写无我之境，此在豪杰之士能自树立耳。

（四）

无我之境，人惟于静中得之；有我之境，于由动之静时得之。故一优美，一宏壮也。

（五）

自然中之物，互相关系，互相限制。然其写之于文学及美术中也，必遗其关系、限制之处。故虽写实家，亦理想家也。又虽如何虚构之境，其材料必求之于自然，而其构造亦必从自然之法则。故虽理想家，亦写实家也。

（六）

境非独谓景物也。喜怒哀乐，亦人心中之一境界。故能写真景物、真感情者，谓之有境界；否则谓之无境界。

（七）

“红杏枝头春意闹”，著一“闹”字，而境界全出。“云破月来花弄影”，著一“弄”字，而境界全出矣。

（八）

境界有大小，不以是而分优劣。“细雨鱼儿出，微风燕子斜”，何遽不若“落日照大旗，马鸣风萧萧”？“宝帘闲挂小银钩”，何遽不若“雾失楼台，月迷津渡”也？

（九）

严沧浪《诗话》谓：“盛唐诸公（一作‘人’），唯在兴趣，羚羊挂角，无迹可求。故其妙处，透澈（当作‘彻’）玲珑，不可凑拍（当作‘泊’），如空中之音，相中之色，水中之影（当作‘月’），镜中之象，言有尽而意无穷。”余谓北宋以前之词，亦复如是。然沧浪所谓兴趣，阮亭所谓神韵，犹不过道其面目，不若鄙人拈出“境界”二字，为探其本也。

（一〇）

太白纯以气象胜。“西风残照，汉家陵阙”，寥寥八字，遂关千古登临之口。后世唯范文正之《渔家傲》，夏英公之《喜迁莺》，差足继武，然气象已不逮矣。

（一一）

张皋文谓：飞卿之词，“深美闳约”，余谓：此四字唯冯正中足以当之。刘融斋谓：飞卿“精艳（当作‘妙’）绝人”，差近之耳。

（一二）

“画屏金鹧鸪”，飞卿语也，其词品似之。“弦上黄莺语”，端己语也，其词品亦似之。正中词品，若欲于其词句中求之，则“和泪试严妆”，殆近之欤？

（一三）

南唐中主词“菡萏香销翠叶残，西风愁起绿波间”，大有“众芳芜秽”“美人迟暮”之感。乃古今独赏其“细雨梦回鸡塞远，小楼吹彻玉笙寒”，故知解人正不易得。

（一四）

温飞卿之词，句秀也。韦端己之词，骨秀也。李重光之词，神秀也。

（一五）

词至李后主而眼界始大，感慨遂深，遂变伶工之词而为士大夫之词。周介存置诸温、韦之下，可谓颠倒黑白矣。“自是人生长恨水长东”“流水落花春去也，天上人间！”《金荃》《浣花》

能有此气象耶?

(一六)

词人者，不失其赤子之心者也。故生于深宫之中，长于妇人之手，是后主为人君所短处，亦即为词人所长处。

(一七)

客观之诗人，不可不多阅世，阅世愈深则材料愈丰富、愈变化，《水浒传》《红楼梦》之作者是也。主观之诗人，不必多阅世，阅世愈浅则性情愈真，李后主是也。

(一八)

尼采谓:“一切文学，余爱以血书者。”后主之词，真所谓“以血书者”也。宋道君皇帝《燕山亭》词亦略似之。然道君不过自道身世之戚，后主则俨有释迦、基督担荷人类罪恶之意，其大小固不同矣。

(一九)

冯正中词，虽不失五代风格，而堂庑特大，开北宋一代风气。与中、后二主词皆在《花间》范围之外，宜《花间集》中不登其只字也。

（二〇）

正中词，除《鹊踏枝》《菩萨蛮》十数阕最煊赫外，如《醉花间》之“高树鹊衔巢，斜月明寒草”，余谓韦苏州之“流萤度高阁”，孟襄阳之“疏雨滴梧桐”，不能过也。

（二一）

欧九《浣溪沙》词“绿杨楼外出秋千”，晁补之谓只一“出”字，便后人所不能道。余谓：此本于正中《上行杯》词“柳外秋千出画墙”，但欧语尤工耳。

（二二）

梅圣俞《苏幕遮》词：“落尽梨花春事（当作‘又’）了，满地斜（当作‘残’）阳，翠色和烟老。”刘融斋谓：少游一生似专学此种。余谓：冯正中《玉楼春》词：“芳菲次第长相续，自是情多无处足。尊前百计得春归，莫为伤春眉黛促（当作‘蹙’）。”永叔一生似专学此种。

（二三）

人知和靖《点绛唇》、圣俞《苏幕遮》、永叔《少年游》三阕为咏春草绝调，不知先有正中“细雨湿流光”五字，皆能摄春草之魂者也。

（二四）

《诗·蒹葭》一篇最得风人深致。晏同叔之“昨夜西风凋碧树，独上高楼，望尽天涯路”意颇近之。但一洒落，一悲壮耳。

（二五）

“我瞻四方，蹙蹙靡所骋”，诗人之忧生也。“昨夜西风凋碧树，独上高楼，望尽天涯路”似之。“终日驰车走，不见所问津”，诗人之忧世也。“百草千花寒食路，香车系在谁家树”似之。

（二六）

古今之成大事业、大学问者，必经过三种之境界：“昨夜西风凋碧树，独上高楼，望尽天涯路”，此第一境也。“衣带渐宽终不悔，为伊消得人憔悴”，此第二境也。“众里寻他千百度，回头蓦见（当作‘蓦然回首’），那人正（当作‘却’）在灯火阑珊处”，此第三境也。此等语皆非大词人不能道。然遽以此意解释诸词，恐晏、欧诸公所不许也。

（二七）

永叔“人间（当作‘生’）自是有情痴，此恨不关风与月”“直须看尽洛城花，始与（当作‘共’）东（当作‘春’）风容易别”，于豪放之中有沈著之致，所以尤高。

（二八）

冯梦华《宋六十一家词选·序例》谓：“淮海、小山，古之伤心人也。其淡语皆有味，浅语皆有致。”余谓：此唯淮海足以当之。小山矜贵有余，但可方驾子野、方回，未足抗衡淮海也。

（二九）

少游词境，最为凄婉。至“可堪孤馆闭春寒，杜鹃声里斜阳暮”，则变而凄厉矣。东坡赏其后二语，犹为皮相。

（三〇）

“风雨如晦，鸡鸣不已”“山峻高以蔽日兮，下幽晦以多雨。霰雪纷其无垠兮，云霏霏而承宇”“树树皆秋色，山山尽（当作‘唯’）落晖”“可堪孤馆闭春寒，杜鹃声里斜阳暮”，气象皆相似。

（三一）

昭明太子称陶渊明诗“跌宕昭彰，独超众类；抑扬爽朗，莫之与京”。王无功称薛收赋“韵趣高奇，词义晦远；嵯峨萧瑟，真不可言”。词中惜少此二种气象，前者唯东坡，后者唯白石，略得一二耳。

（三二）

词之雅、郑，在神不在貌。永叔、少游虽作艳语，终有品格。方之美成，便有淑女与倡伎之别。

（三三）

美成词深远之致不及欧、秦，唯言情体物，穷极工巧，故不失为第一流之作者。但恨创调之才多，创意之才少耳。

（三四）

词最忌用替代字。美成《解语花》之“桂华流瓦”，境界极妙，惜以“桂华”二字代“月”耳。梦窗以下，则用代字更多。其所以然者，非意不足，则语不妙也。盖意足则不暇代，语妙则不必代。此少游之“小楼连苑”“绣毂雕鞍”所以为东坡所讥也。

（三五）

沈伯时《乐府指迷》云：“说桃不可直说破桃，须用‘红雨’‘刘郎’等字；说柳不可直说破柳，须用‘章台’‘灞岸’等字。”若惟恐人不用代字者。果以是为工，则古今类书具在，又安用词为耶？宜其为《提要》所讥也。

（三六）

美成《青玉案》（当作“《苏幕遮》”）词：“叶上初阳干宿雨，水面轻圆，一一风荷举。”此真能得荷之神理者。觉白石《念奴娇》《惜红衣》二词，犹有隔雾看花之恨。

（三七）

东坡《水龙吟》咏杨花，和均而似元唱。章质夫词，元唱而似和均。才之不可强也如是！

（三八）

咏物之词，自以东坡《水龙吟》为最工，邦卿《双双燕》次之。白石《暗香》《疏影》，格调虽高，然无一语道着，视古人“江边一树垂垂发”等句何如耶？

（三九）

白石写景之作，如“二十四桥仍在，波心荡，冷月无声”“数峰清苦，商略黄昏雨”“高树（当作‘柳’）晚蝉，说西风消息”，虽格韵高绝，然如雾里看花，终隔一层。梅溪、梦窗诸家写景之病，皆在一“隔”字。北宋风流，渡江遂绝，抑真有运（一作“风”）会存乎其间耶？

（四〇）

问“隔”与“不隔”之别，曰：陶、谢之诗不隔，延年则稍隔矣。东坡之诗不隔，山谷则稍隔矣。“池塘生春草”“空梁落燕泥”等二句，妙处唯在不隔。词亦如是。即以一人一词论，如欧阳公《少年游》（咏春草）上半阕云：“阑干十二独凭春，晴碧远连云。二月三月，千里万里（此两句倒置），行色苦愁人。”语语都在目前，便是不隔。至云“谢家池上，江淹浦畔”，则隔矣。白石《翠楼吟》：“此地。宜有词仙，拥素云黄鹤，与君游戏。玉梯凝望久，叹芳草、萋萋千里”，便是不隔。至“酒祓清愁，花消英气”，则隔矣。然南宋词虽不隔处，比之前人，自有浅深厚薄之别。

（四一）

“生年不满百，常怀千岁忧。昼短苦夜长，何不秉烛游？”“服食求神仙，多为药所误；不如饮美酒，被服纨与素。”写情如此，方为不隔。“采菊东篱下，悠然见南山。山气日夕佳，飞鸟相与还。”“天似穹庐，笼盖四野。天苍苍，野茫茫，风吹草低见牛羊。”写景如此，方为不隔。

（四二）

古今词人格调之高，无如白石。惜不于意境上用力，故觉无言外之味，弦外之响，终不能与于第一流之作者也。

（四三）

南宋词人，白石有格而无情，剑南有气而乏韵，其堪与北宋人颉颃者，唯一幼安耳。近人祖南宋而祧北宋，以南宋之词可学，北宋不可学也。学南宋者，不祖白石，则祖梦窗；以白石、梦窗可学，幼安不可学也。学幼安者，率祖其粗犷、滑稽，以其粗犷、滑稽处可学，佳处不可学也。幼安之佳处，在有性情、有境界。即以气象论，亦有“横素波、干青云”之概，宁后世龌龊小生所可拟耶？

（四四）

东坡之词旷，稼轩之词豪。无二人之胸襟而学其词，犹东施之效捧心也。

（四五）

读东坡、稼轩词，须观其雅量高致，有伯夷、柳下惠之风。白石虽似蝉蜕尘埃，然终不免局促辕下。

（四六）

苏、辛词中之狂，白石犹不失为狷，若梦窗、梅溪、玉田、草窗、西麓辈，面目不同，同归于乡愿而已。

（四七）

稼轩《中秋饮酒达旦，用〈天问〉体作〈木兰花慢〉以送月》曰："可怜今夕月，向何处，去悠悠？是别有人间，那边才见，光景东头。"词人想象，直悟月轮绕地之理，与科学家密合，可谓神悟。

（四八）

周介存谓："梅溪词中喜用'偷'字，足以定其品格。"刘融斋谓："周旨荡而史意贪。"此二语令人解颐。

（四九）

介存谓梦窗词之佳者，如"水光云影，摇荡绿波，抚玩无极，追寻已远"。余览《梦窗甲乙丙丁稿》中，实无足当此者；有之，其"隔江人在雨声中，晚风菰叶生秋怨"二语乎？

（五〇）

梦窗之词，余得取其词中之一语以评之曰："映梦窗，凌（当作'零'）乱碧。"玉田之词，余得取其词中之一语以评之曰："玉老田荒。"

（五一）

“明月照积雪”“大江流日夜”“中天悬明月”“黄河落日圆”，此种境界，可谓千古壮观。求之于词，唯纳兰容若塞上之作，如《长相思》之“夜深千帐灯”、《如梦令》之“万帐穹庐人醉，星影摇摇欲坠”，差近之。

（五二）

纳兰容若以自然之眼观物，以自然之舌言情。此由初入中原，未染汉人风气，故能真切如此。北宋以来，一人而已。

（五三）

陆放翁跋《花间集》，谓“唐季五代，诗愈卑，而倚声者辄简古可爱。能此不能彼，未可（当作‘易’）以理推也”。《提要》驳之，谓“犹能举七十斤者，举百斤则蹶，举五十斤则运掉自如”。其言甚辨。然谓词必易于诗，余未敢信。善乎陈卧子之言曰：“宋人不知诗而强作诗，故终宋之世无诗。然其欢愉愁苦（当作‘怨’）之致，动于中而不能抑者，类发于诗余，故其所造独工。”五代词之所以独胜，亦以此也。

（五四）

四言敝而有楚辞，楚辞敝而有五言，五言敝而有七言，古诗敝而有律、绝，律、绝敝而有词。盖文体通行既久，染指遂多，自成习套。豪杰之士，亦难于其中自出新意，故遁而作他体，以自解脱。一切文体所以始盛中衰者，皆由于此。故谓文学后不如前，余未敢信；但就一体论，则此说固无以易也。

（五五）

诗之《三百篇》《十九首》，词之五代、北宋，皆无题也。非无题也，诗词中之意不能以题尽之也。自《花庵》《草堂》每调立题，并古人无题之词亦为作题。如观一幅佳山水，而即曰此某山某河，可乎？诗有题而诗亡，词有题而词亡。然中材之士，鲜能知此而自振拔者矣。

（五六）

大家之作，其言情也必沁人心脾，其写景也必豁人耳目，其辞脱口而出，无矫揉妆束之态。以其所见者真，所知者深也。诗词皆然。持此以衡古今之作者，可无大误矣。

（五七）

人能于诗词中不为美刺投赠之篇，不使隶事之句，不用粉饰之字，则于此道已过半矣。

（五八）

以《长恨歌》之壮采，而所隶之事，只“小玉、双成”四字，才有余也。梅村歌行，则非隶事不办。白、吴优劣，即于此见。不独作诗为然，填词家亦不可不知也。

（五九）

近体诗体制，以五七言绝句为最尊，律诗次之，排律最下。盖此体于寄兴言情，两无所当，殆有韵之骈体文耳。词中小令如绝句，长调似律诗，若长调之《百字令》《沁园春》等，则近于排律矣。

（六〇）

诗人对宇宙人生，须入乎其内，又须出乎其外。入乎其内，故能写之；出乎其外，故能观之。入乎其内，故有生气；出乎其外，故有高致。美成能入而不能出。白石以降，于此二事皆未梦见。

（六一）

诗人必有轻视外物之意，故能以奴仆命风月。又必有重视外物之意，故能与花鸟共忧乐。

（六二）

“昔为倡家女，今为荡子妇。荡子行不归，空床难独守。”“何不策高足，先据要路津？无为久贫（当作‘守穷’）贱，轗轲长苦辛。”可谓淫鄙之尤。然无视为淫词、鄙词者，以其真也。五代、北宋之大词人亦然，非无淫词，读之者但觉其亲切动人。非无鄙词，但觉其精力弥满。可知淫词与鄙词之病，非淫与鄙之病，而游词之病也。“岂不尔思，室是远而。”而子曰：“未之思也，夫何远之有？”恶其游也。

（六三）

“枯藤老树昏鸦，小桥流水平沙，古道西风瘦马。夕阳西下，断肠人在天涯。”此元人马东篱《天净沙》小令也。寥寥数语，深得唐人绝句妙境。有元一代词家，皆不能办此也。

（六四）

白仁甫《秋夜梧桐雨》剧，沈雄悲壮，为元曲冠冕。然所作《天籁词》，粗浅之甚，不足为稼轩奴隶。岂创者易工，而因者难巧欤？抑人各有能有不能也？读者观欧、秦之诗远不如词，足透此中消息。

宣统庚戌九月，脱稿于京师宣武城南寓庐。国维记。

《人间词话》未刊稿

（一）

白石之词，余所最爱者亦仅二语，曰：“淮南皓月冷千山，冥冥归去无人管。”

（二）

诗至唐中叶以后，殆为羔雁之具矣。故五代、北宋之诗，佳者绝少，而词则为其极盛时代。即诗词兼擅如永叔、少游者，亦词胜于诗远甚，以其写之于诗者，不若写之于词者之真也。至南宋以后，词亦为羔雁之具，而词亦替矣。此亦文学升降之一关键也。

（三）

曾纯甫中秋应制，作《壶中天慢》词。自注云：“是夜西兴亦闻天乐。”谓宫中乐声闻于隔岸也。毛子晋谓：“天神亦不以人废言。”近冯梦华复辨其诬。不解“天乐”二字文义，殊笑人也！

（四）

梅溪、梦窗、中仙、玉田、草窗、西麓诸家，词虽不同，然同失之肤浅。虽时代使然，亦其才分有限也。近人弃周鼎而宝康瓠，实难索解。

（五）

余填词不喜作长调，尤不喜用人韵。偶尔游戏，作《水龙吟》咏杨花，用质夫、东坡倡和韵，作《齐天乐》咏蟋蟀，用白石韵，皆有“与晋代兴”之意。余之所长殊不在是，世之君子宁以他词称我。

（六）

余友沈昕伯（纮）自巴黎寄余《蝶恋花》一阕云：“帘外东风随燕到，春色东来，循我来时道。一霎围场生绿草，归迟却怨春来早。锦绣一城春水绕，庭院笙歌，行乐多年少。著意来开孤客抱，不知名字闲花鸟。”此词当在晏氏父子间，南宋人不能道也。

（七）

樊抗夫谓余词如《浣溪沙》之“天末同云”，《蝶恋花》之“昨夜梦中”“百尺高楼”“春到临春”等阕，凿空而道，开词家未有之境。余自谓才不若古人，但于力争第一义处，古人亦不如我用意耳。

（八）

叔本华曰："抒情诗，少年之作也；叙事诗及戏曲，壮年之作也。"余谓：抒情诗，国民幼稚时代之作也；叙事诗，国民盛壮时代之作也。故曲则古不如今。元曲诚多天籁，然其思想之陋劣，布置之粗笨，千篇一律，令人喷饭。至本朝之《桃花扇》《长生殿》诸传奇，则进矣。词则今不如古。盖一则以布局为主，一则须伫兴而成故也。

（九）

北宋名家以方回为最次。其词如历下、新城之诗，非不华瞻，惜少真味。

（一〇）

散文易学而难工，骈文难学而易工；近体诗易学而难工，古体诗难学而易工；小令易学而难工，长调难学而易工。

（一一）

古诗云："谁能思不歌？谁能饥不食？"诗词者，物之不得其平而鸣者也。故“欢愉之辞难工，愁苦之言易巧”。

（一二）

社会上之习惯，杀许多之善人。文学上之习惯，杀许多之天才。

（一三）

词之为体，“要眇宜修”，能言诗之所不能言，而不能尽言诗之所能言。诗之境阔，词之言长。

（一四）

言气质，言神韵，不如言境界。境界为本也；气质、格律、神韵，末也。有境界而三者随之矣。

（一五）

“西（当作‘秋’）风吹渭水，落日（当作‘叶’）满长安。”美成以之入词，白仁甫以之入曲。此借古人之境界为我之境界者也。然非自有境界，古人亦不为我用。

（一六）

词家多以景寓情。其专作情语而绝妙者，如牛峤之“甘（当作‘须’）作一生拚，尽君今日欢”，顾敻之“换我心，为你心，始知相忆深”，欧阳修之“衣带渐宽终不悔，为伊消得人憔悴”，美成之“许多烦恼，只为当时，一饷留情”，此等词，古今曾不多见，余《乙稿》中颇于此方面有开拓之功。

（一七）

长调自以周、柳、苏、辛为最工。美成《浪淘沙慢》二词，精壮顿挫，已开北曲之先声。若屯田之《八声甘州》，玉局之《水调歌头》（中秋寄子由），则伫兴之作，格高千古，不能以常词论也。

（一八）

稼轩《贺新郎》词（送茂嘉十二弟）章法绝妙，且语语有境界，此能品而几于神者。然非有意为之，故后人不能学也。

（一九）

稼轩《贺新郎》词：“柳暗凌波路，送春归猛风暴雨，一番新绿。”又,《定风波》词：“从此酒酣明月夜，耳热。”“绿”“热”二字皆作上去用，与韩玉《东浦词·贺新郎》以“玉”“曲”叶“注”“女”,《卜算子》以“夜”“谢”叶“食”（当作“节”）、“月”，已开北曲四声通押之祖。

（二〇）

谭复堂《箧中词选》谓："蒋鹿潭《水云楼词》与成容若、项莲生二百年间分鼎三足。"然《水云楼词》小令颇有境界，长调惟存气格。《忆云词》亦精实有余，超逸不足，皆不足与容若比，然视皋文、止庵辈，则倜乎远矣。

（二一）

贺黄公（裳）《皱水轩词筌》云："张玉田《乐府指迷》，其调叶宫商、铺张藻绘抑亦可矣，至于风流蕴藉之事，真属茫茫，如啖官厨饭者，不知牲牢之外别有甘鲜也。"此语解颐。

（二二）

周保绪（济）《词辨》云："玉田近人所最尊奉，才情诣力亦不后诸人，终觉积谷作米、把缆放船，无开阔手段。"又云："叔夏所以不及前人处，只在字句上著功夫，不肯换意。""近人喜学玉田，亦为修饰字句易，换意难。"

（二三）

词家时代之说，盛于国初。竹垞谓词至北宋而大，至南宋而深。后此词人，群奉其说，然其中亦非无具眼者。周保绪曰："南宋下不犯北宋拙率之病，高不到北宋浑涵之诣。”又曰：“北宋词多就景叙情，故珠圆玉润，四照玲珑。至稼轩、白石，一变而为即事叙景，使深者反浅，曲者反直。”潘四农（德舆）曰：“词滥觞于唐，畅于五代，而意格之闳深曲挚则莫盛于北宋。词之有北宋，犹诗之有盛唐。至南宋则稍衰矣。”刘融斋（熙载）曰：“北宋词用密亦疏，用隐亦亮，用沉亦快，用细亦阔，用精亦浑。南宋只是掉转过来。”可知此事自有公论。虽止庵词颇浅薄，潘、刘尤甚。然其推尊北宋，则与明季云间诸公，同一卓识，不可废也。

（二四）

唐、五代、北宋之词，所谓“生香真色”。若云间诸公，则彩花耳。湘真且然，况其次也者乎？

（二五）

《衍波词》之佳者，颇似贺方回。虽不及容若，要在锡鬯、其年之上。

（二六）

近人词，如复堂词之深婉、彊村词之隐秀，皆在吾家半塘翁上。彊村学梦窗而情味较梦窗反胜。盖有临川、庐陵之高华，而济之以白石之疏越者。学人之词，斯为极则。然古人自然神妙处，尚未梦见。

（二七）

宋直方《蝶恋花》："新样罗衣浑弃却，犹寻旧日春衫著。"谭复堂《蝶恋花》："连理枝头侬与汝，千花百草从渠许。"可谓寄兴深微。

（二八）

《半塘丁稿》和冯正中《鹊踏枝》十阕，乃《鹜翁词》之最精者。"望远愁多休纵目"等阕，郁伊惝恍，令人不能为怀。《定稿》只存六阕，殊为未允也。

（二九）

固哉，皋文之为词也！飞卿《菩萨蛮》、永叔《蝶恋花》、子瞻《卜算子》，皆兴到之作，有何命意？皆被皋文深文罗织。阮亭《花草蒙拾》谓："坡公命宫磨蝎，生前为王珪、舒亶辈所苦，身后又硬受此差排。"由今观之，受差排者，独一坡公已耶？

（三〇）

贺黄公谓："姜论史词，不称其'软语商量'，而称（当作'赏'）其'柳昏花暝'，固知不免项羽学兵法之恨。"然"柳昏花暝”自是欧、秦辈句法，似属为胜。吾从白石，不能附和黄公矣。

（三一）

“池塘春草谢家春，万古千秋五字新。传语闭门陈正字，可怜无补费精神。”此遗山《论诗绝句》也。美成、白石、梦窗、玉田辈当不乐闻此语。

（三二）

朱子《清邃阁论诗》谓：“古人有句，今人诗更无句，只是一直说将去。这般一日作百首也得。”余谓北宋之词有句，南宋以后便无句。如玉田、草窗之词，所谓“一日作百首也得”者也。

（三三）

朱子谓：“梅圣俞诗，不是平淡，乃是枯槁。”余谓草窗、玉田之词亦然。

（三四）

“自怜诗酒瘦，难应接、许多春色。”“能几番游？看花又是明年。”此等语亦算警句耶？乃值如许费力。

（三五）

文文山词，风骨甚高，亦有境界。远在圣与、叔夏、公谨诸公之上。亦如明初诚意伯词，非季迪、孟载诸人所敢望也。

（三六）

宋《李希声诗话》曰："唐（当作'古'）人作诗，正以风调高古为主，虽意远语疏，皆为佳作。后人有切近的当、气格凡下者，终使人可憎。"余谓北宋词亦不妨疏远，若梅溪以降，正所谓"切近的当、气格凡下"者也。

（三七）

自竹垞痛贬《草堂诗馀》而推《绝妙好词》，后人群附和之。不知《草堂》虽有亵诨之作，然佳词恒得十之六七。《绝妙好词》则除张、范、辛、刘诸家外，十之八九皆极无聊赖之词。甚矣，人之贵耳贱目也。

（三八）

《提要》载："《古今词话》六卷，国朝沈雄纂。雄，字偶僧，吴江人。是编所述，上起于唐，下迄康熙中年。"然维见明嘉靖前合口本《笺注草堂诗馀》林外《洞仙歌》下引《古今词话》

云：“此词乃近时林外题于吴江垂虹亭。”（明刻《类编草堂诗馀》亦同）（案：升庵《词品》云：“林外，字岂尘。有《洞仙歌》书于垂虹亭畔，作道装，不告姓名，饮醉而去，人疑为吕洞宾。传入宫中，孝宗笑曰：‘“云崖洞天无锁”。“锁”与“老”叶均，则“锁”音“扫”，乃闽音也。’侦问之，果闽人林外也。”《齐东野语》所载亦略同）则《古今词话》宋时固有此书，岂雄窃此书而复益以近代事欤？又，《季沧苇书目》载《古今词话》十卷，而沈雄所纂只六卷，益证其非一书矣。

（三九）

“君王枉（当作‘忍’）把平陈业，换得（当作‘只换’）雷塘数亩田。”政治家之言也。“长陵亦是闲邱陇，异日谁知与仲多？”诗人之言也。政治家之眼，域于一人一事；诗人之眼，则通古今而观之。词人观物，须用诗人之眼，不可用政治家之眼。故感事、怀古等作，当与寿词同为词家所禁也。

（四〇）

宋人小说，多不足信。如《雪舟脞语》谓：台州知府唐仲友眷官妓严蕊奴，朱晦庵系治之。及晦庵移去，提刑岳霖行部至台，蕊乞自便。岳问曰：“去将安归？”蕊赋《卜算子》词云“住也如何住”云云。（案：此词系仲友戚高宣教作，使蕊歌以侑觞者，见朱子《纠唐仲友奏牍》）。则《齐东野语》所纪朱、唐公案，恐亦未可信也。

（四一）

唐、五代之词，有句而无篇。南宋名家之词，有篇而无句。有篇有句，唯李后主降宋后之作，及永叔、子瞻、少游、美成、稼轩数人而已。

（四二）

唐、五代、北宋之词家，倡优也；南宋后之词家，俗子也。二者其失相等。然词人之词，宁失之倡优，而不失之俗子。以俗子之可厌，较倡优为甚故也。

（四三）

《蝶恋花》"独倚危楼"一阕，见《六一词》，亦见《乐章集》。余谓：屯田，轻薄子，只能道"奶奶兰心蕙性"耳。"衣带渐宽终不悔，为伊消得人憔悴"，此等语，固非欧公不能道也。

（四四）

读《会真记》者，恶张生之薄幸而恕其奸非；读《水浒传》者，恕宋江之横暴而责其深险。此人人之所同也。故艳词可作，唯万不可作儇薄语。龚定庵诗云："偶赋凌云偶倦飞，偶然闲慕遂初衣。偶逢锦瑟佳人问，便说寻春为汝归。"其人凉薄无行，跃然纸墨间。余辈读耆卿、伯可词，亦有此感。视永叔、希文小词何如耶？

（四五）

词人之忠实，不独对人事宜然，即对一草一木，亦须有忠实之意，否则所谓游词也。

（四六）

读《花间》《尊前集》，令人回想徐陵《玉台新咏》；读《草堂诗馀》，令人回想韦縠《才调集》；读朱竹垞《词综》，张皋文、董子远《词选》，令人回想沈德潜《三朝诗别裁集》。

（四七）

明季、国初诸老之论词，大似袁简斋之论诗，其失也，纤小而轻薄。竹垞以降之论词者，大似沈归愚，其失也，枯槁而庸陋。

（四八）

东坡之旷在神，白石之旷在貌。白石如王衍口不言阿堵物，而暗中为营三窟之计，此其所以可鄙也。

（四九）

“纷吾既有此内美兮，又重之以修能。”文学之事，于此二者不可缺一。然词乃抒情之作，故尤重内美。无内美而但有修能，则白石耳。

（五〇）

诗人视一切外物，皆游戏之材料也。然其游戏，则以热心为之。故诙谐与严重二性质，亦不可缺一也。

《人间词话》删稿

（一）

双声、叠韵之论盛于六朝，唐人犹多用之，至宋以后则渐不讲，并不知二者为何物。乾、嘉间，吾乡周松霭先生（春）著《杜诗双声叠韵谱括略》，正千余年之误，可谓有功文苑者矣。其言曰："两字同母，谓之双声，两字同韵，谓之叠韵。"余按：用今日各国文法通用之语表之，则两字同一子音者谓之双声（如《南史·羊[元]（玄）保传》之"官家恨狭，更广八分"，官、家、更、广四字，皆从k得声。《洛阳伽蓝记》之"狞奴慢骂"，狞、奴二字皆从n得声，慢、骂二字皆从m得声是也）。两字同一母音者，谓之叠韵（如梁武帝之"后牖有朽柳"，后、牖、有三字，双声而兼叠韵，有、朽、柳三字，其母音皆为u。刘孝绰之"梁皇长康强"，梁、长、强三字，其母音皆为ang也）。自李淑《诗苑》伪造沈约之说，以双声、叠韵为诗中八病之二，后世诗家多废而不讲，亦不复用之于词。余谓：苟于词之荡漾处用叠韵，促节处用双声，则其铿锵可诵必有过于前人者。惜世之专讲音律者，尚未悟此也。

（二）

昔人但知双声之不拘四声，不知叠韵亦不拘平、上、去三声。凡字之同母音者，虽平仄有殊，皆叠韵也。

（三）

昔人论诗词，有景语、情语之别，不知一切景语皆情语也。

（四）

“岂不尔思，室是远而。”孔子讥之。故知孔门而用词，则牛峤之“甘（当作‘须’）作一生拼，尽君今日欢”等作，必不在见删之数。

（五）

“暮雨潇潇郎不归”，当是古词，未必即白傅所作。故白诗云：“吴娘夜（当作‘暮’）雨潇潇曲，自别苏州（当作‘江南’）更不闻”也。

（六）

和凝《长命女》词：“天欲晓，宫漏穿花声缭绕，窗里星光少。冷霞寒侵帐额，残月光沈树杪。梦断锦闱空悄悄，强起愁眉小。”此词前半，不减夏英公《喜迁莺》也。此词见《乐府雅词》,《历代诗余》选之。

（七）

《提要》：“王明清《挥麈录》载曾布所作《冯燕歌》，已成套数，与词律殊途。”

毛西河《词话》谓：“赵德麟令畤作《商调鼓子词》谱《西厢传奇》，为杂剧之祖。”然《乐府雅词》卷首所载秦少游、晁补之、郑彦能（名仅）《调笑转踏》首有“致语”，末有“放队”，每调之前有口号诗，甚似曲本体例。无名氏《九张机》亦然。至董颖《道宫薄媚》大曲咏西子事，凡十只曲，皆平仄通押，竟是套曲，此可与《弦索西厢》同为曲家之荜路。曾氏置诸《雅词》卷首，所以别之于词也。颖字仲达，绍兴初人，从汪彦章、徐师川游。彦章为作《字说》，见《书录解题》。

（八）

宋人遇令节、朝贺、宴会、落成等事，有“致语”一种，亦谓之“乐语”，亦谓之“念语”。宋人如宋子京、欧阳永叔、苏子瞻、陈师道皆有之。《啸余谱》列之于词曲之间。其式：先“教坊致语”（四六文），次“口号”（诗），次“勾合曲”（四六文），次“勾小儿队”（四六文），次“队名”（诗二句），次“问小儿”“小儿致语”，次“勾杂剧”（皆四六文），次“放队”（或诗或四六文）。若有女弟子队，则勾女弟子队如前。其所歌之词曲与所演之剧，则自伶人定之。少游、补之之《调笑》乃并为之作词。元人杂剧乃以曲代之。曲中楔子、科白、上下场诗，犹是致语、口号、勾队、放队之遗也，此程明善《啸余谱》所以列“致语”于词曲之间者也。

（九）

明顾梧芳刻《尊前集》二卷，自为之引，并云：“明嘉禾顾梧芳编次。”毛子晋《词苑英华》疑为梧芳所辑。朱竹垞跋称，吴下得吴宽手钞本，取顾本勘之，靡有不同，因定为宋初人编辑。《提要》两存其说。案《古今词话》云：“赵崇祚《花间集》载温飞卿《菩萨蛮》甚多，合之吕鹏《尊前集》，不下二十阕。”今考顾刻所载飞卿《菩萨蛮》五首，除“咏泪”一首外，皆《花间》所有，知顾刻虽非自编，亦非复吕鹏所编之旧矣。《提要》又云：“张炎《乐府指迷》虽云唐人有《尊前》《花间集》，然《乐府指迷》真出张炎与否，盖未可定。陈振孙《书录解题》‘歌词类’以《花间集》为首，注曰：此近世倚声填词之祖，而无《尊前集》之名。不应张炎见之，而陈振孙不见。”然《书录解题·阳春集》条下，引高邮崔公度语曰：“《尊前》《花间》往往谬其姓氏。”公度，公（当作“元”）祐间人，《宋史》有传。北宋固有，则此书不过直斋未见耳。

又案：黄昇《花庵词选》李白《清平乐》下注云：“翰林应制。”又云：“案：唐吕鹏《遏云集》载应制词四首，以后二首无清逸气韵，疑非太白所作。”云云。今《尊前集》所载太白《清平乐》有五首，岂《尊前集》一名《遏云集》，而四首五首之不同，乃花庵所见之本略异欤？又，欧阳炯《花间集序》谓："明皇朝有李太白应制《清平乐》四首。"则唐末时只有四首，岂末一首为梧芳所羼入，非吕鹏之旧欤？

（一〇）

楚辞之体，非屈子所创也，《沧浪》《凤兮》之歌已与《三百篇》异。然至屈子而最工。五七律始于齐、梁而盛于唐，词源于唐而大成于北宋。故最工之文学，非徒善创，亦且善因。

（一一）

《沧浪》《凤兮》二歌，已开楚辞体格。然楚词之最工者，推屈原、宋玉，而后此王褒、刘向之词不与焉。五古之最工者，实推阮嗣宗、左太冲、郭景纯、陶渊明，而前此曹、刘，后此陈子昂、李太白不与焉。词之最工者，实推后主、正中、永叔、少游、美成，而前此温、韦，后此姜、吴，皆不与焉。

（一二）

金郎甫作《〈词选〉后序》，分词为淫词、鄙词、游词三种，词之弊，尽是矣。五代、北宋之词，其失也淫；辛、刘之词，其失也鄙；姜、张之词，其失也游。

《人间词话》附录

（一）

蕙风词小令似叔原，长调亦在清真、梅溪间，而沈痛过之。彊村虽富丽精工，犹逊其真挚也。天以百凶成就一词人，果何为哉！

赵万里录自《蕙风琴趣》评语

（二）

蕙风《洞仙歌》（秋日游某氏园）及《苏武慢》（寒夜闻角）二阕，境似清真，集中他作，不能过之。

赵万里录自《蕙风琴趣》评语

（三）

彊村词，余最赏其《浣溪沙》“独鸟冲波去意闲”二阕，笔力峭拔，非他词可能过之。

赵万里自《丙寅日记》所记先生论学语中摘出

（四）

蕙风“听歌”诸作，自以《满路花》为最佳。至《题香南雅集图》诸词，殊觉泛泛，无一言道著。

赵万里自《丙寅日记》所记先生论学语中摘出

（五）

（皇甫松）词，黄叔旸称其《摘得新》二首，为有达观之见。余谓不若《忆江南》二阕，情味深长，在乐天、梦得上也。

自此条至第十三条皆录自王国维自辑本
《唐五代二十一家词辑》

（六）

端已词情深语秀，虽规模不及后主、正中，要在飞卿之上。观昔人颜、谢优劣论可知矣。

（七）

（毛文锡）词比牛、薛诸人殊为不及。叶梦得谓："文锡词以质直为情致，殊不知流于率露。诸人评庸陋词者，必曰此仿毛文锡之《赞成功》而不及者。"其言是也。

（八）

（魏承班）词逊于薛昭蕴、牛峤，而高于毛文锡，然皆不如王衍。五代词以帝王为最工，岂不以无意于求工欤？

（九）

（顾）敻词在牛给事、毛司徒间。《浣溪沙》"春色迷人"一阕，亦见《阳春录》。与《河传》《诉衷情》数阕，当为敻最佳之作矣。

（一〇）

（毛熙震），周密《齐东野语》称其词"新警而不为儇薄"。余尤爱其《后庭花》，不独意胜，即以调论，亦有隽上清越之致，视文锡蔑如也。

（一一）

（阎选）词唯《临江仙》第二首有轩翥之意，余尚未足与作者也。

（一二）

昔沈文悫深赏（张）泌“绿杨花扑一溪烟”为晚唐名句。然其词如“露浓香泛小庭花”，较前语似更幽艳。

（一三）

（孙光宪词）昔黄玉林赏其“一庭花（当作‘疏’）雨湿春愁”为古今佳句。余以为不若“片帆烟际闪孤光”尤有境界也。

（一四）

（周清真）先生于诗文无所不工，然尚未尽脱古人蹊径。平生著述，自以乐府为第一。词人甲乙，宋人早有定论，惟张叔夏病其意趣不高远。然北宋人如欧、苏、秦、黄，高则高矣，至精工博大，殊不逮先生。故以宋词比唐诗，则东坡似太白，欧、秦似摩诘，耆卿似乐天，方回、叔原则大历十子之流，南宋惟一稼轩可比昌黎。而词中老杜，则非先生不可。昔人以耆卿比少陵，犹为未当也。

录自《清真先生遗事·尚论三》

（一五）

（清真）先生之词，陈直斋谓其多用唐人诗句隳栝入律，浑然天成。张玉田谓其善于融化诗句。然此不过一端，不如强焕云："模写物态，曲尽其妙。"为知言也。

录自《清真先生遗事·尚论三》

（一六）

山谷云："天下清景，不择贤愚而与之，然吾特疑端为我辈设。"诚哉是言。抑岂独清景而已，一切境界，无不为诗人设，世无诗人，即无此种境界。夫境界之呈于吾心而见于外物者，皆须臾之物，惟诗人能以此须臾之物，镌诸不朽之文字，使读者自得之；遂觉诗人之言，字字为我心中所欲言，而又非我之所能自言，此大诗人之秘妙也。境界有二：有诗人之境界，有常人之境界。诗人之境界，惟诗人能感之而能写之，故读其诗者亦高举远慕，有遗世之意。而亦有得有不得，且得之者亦各有深浅焉。若夫悲欢离合、羁旅行役之感，常人皆能感之，而惟诗人能写之。故其入于人者至深，而行于世也尤广。先生（清真）之词，属于第二种为多，故宋时别本之多，他无与匹。又和者三家，注者二家（强焕本亦有注，见毛跋）。自士大夫以至妇人女子，莫不知有清真，而种种无稽之言，亦由此以起。然非入人之深，乌能如是耶？

录自《清真先生遗事·尚论三》

（一七）

楼忠简谓先生（清真）妙解音律，惟王晦叔《碧鸡漫志》谓："江南某氏者，解音律，时时度曲。周美成与有瓜葛。每得一解，即为制词。故周集中多新声。"则集中新曲，非尽自度。然顾曲名堂，不能自已，固非不知音者。故先生之词，文字之外，须兼味其音律。惟词中所注宫调，不出教坊十八调之外，则其音非大晟乐府之新声，而为隋、唐以来之燕乐，固可知也。今其声虽亡，读其词者，犹觉拗怒之中，自饶和婉。曼声促节，繁会相宣；清浊抑扬，辘轳交往。两宋之间，一人而已。

录自《清真先生遗事·尚论三》

（一八）

伪词最多，强焕本所增，强半皆是。如《片玉词》上《青玉案》"良夜灯光簇如豆"一阕，乃改山谷《忆帝京》词为之者，决非先生作。

录自《清真先生遗事·尚论三》

（一九）

（《云谣集杂曲子》）《天仙子》词，特深峭隐秀，堪与飞卿、端己抗行。

录自《观堂集林·唐写本云谣集杂曲子跋》

（二〇）

有明一代，乐府道衰，《写情》《扣舷》，尚有宋、元遗响，仁、宣以后，兹事几绝。独文愍（夏言）以魁硕之才，起而振之，豪壮典丽，与于湖、剑南为近。

录自《观堂外集·庚辛之间读书记·桂翁词跋》

（二一）

欧公《蝶恋花》“面旋落花”云云，字字沈响，殊不可及。

陈乃乾录自王国维旧藏《六一词》眉间批语

（二二）

温飞卿《菩萨蛮》“雨后却斜阳，杏花零落香”，少游之“雨余芳草斜阳，杏花零落（当作‘乱’）燕泥香”，虽自此脱胎，而实有出蓝之妙。

陈乃乾录自王国维旧藏《词辨》眉间批语

（二三）

白石尚有骨，玉田则一乞人耳。

陈乃乾录自王国维旧藏《词辨》眉间批语

（二四）

美成词多作态，故不是大家气象。若同叔、永叔，虽不作态，而“一笑百媚生”矣。此天才与人力之别也。

陈乃乾录自王国维旧藏《词辨》眉间批语

（二五）

周介存谓：“白石以诗法入词，门径浅狭，如孙过庭书，但便后人模仿。”予谓近人所以崇拜玉田，亦由于此。

陈乃乾录自王国维旧藏《词辨》眉间批语

（二六）

予于词，五代喜李后主、冯正中，而不喜《花间》。宋喜同叔、永叔、子瞻、少游，而不喜美成。南宋只爱稼轩一人，而最恶梦窗、玉田。介存《词辨》所选词，颇多不当人意，而其论词则多独到之语。始知天下固有具眼人，非予一人之私见也。

陈乃乾录自王国维旧藏《词辨》眉间批语

（二七）

（朱希真）《满路花·风情》无限风情，令人玩索。

陈鸿祥从王国维旧藏《草堂诗余》眉批录出

（二八）

朱竹垞《蝶恋花·重游晋祠题壁》，其“天涯芳草”二句，南宋后即不多见，无论近人。

罗振常录自王国维旧藏《箧中词》批语

（二九）

王君静安将刊其所为《人间词》，诒书告余曰：“知我词者莫如子，叙之亦莫如子宜。”余与君处十年矣，比年以来，君颇以词自娱。余虽不能词，然喜读词，每夜漏始下，一灯荧然，玩古人之作，未尝不与君共。君成一阕，易一字，未尝不以讯余。既而暌离，苟有所作，未尝不邮以示余也。然则余于君之词，又乌可以无言乎？夫自南宋以后，斯道之不振久矣。元、明及国初诸老，非无警句也，然不免乎局促者，气困于雕琢也。嘉、道以后之词，非不谐美也，然无救于浅薄者，意竭于摹拟也。君之于词，于五代喜李后主、冯中正，于北宋喜永叔、子瞻、少游、美成，于南宋除稼轩、白石外，所嗜盖鲜矣。尤痛诋梦窗、玉田，谓梦窗砌字，玉田垒句，一雕琢，一敷衍，其病不同，而同归于浅薄。六百年来词之不振，实自此始。其持论如此。及读君自所为词，则诚往复幽咽，动摇人心，快而沉，直而能曲。不屑屑于言词之末，而名句间出，殆往往度越前人。至其言近而指远，意决而辞婉，自永叔以后，殆未有工如君者也。君始为词时，亦不自意其至此，而卒至此者，天也，非人之所能为也。若夫观物之微，托兴之深，则又君诗词之特色，求之古代作者，罕有伦比。呜呼！不胜古人，不足以与古人并，君其知之矣。世有疑余言者乎，则何不取古人之词与君词比类而观之也？光绪丙午三月，山阴樊志厚叙。

录自《海宁王静安先生遗书·苕华词》

（三十）

去岁夏，王君静安集其所为词，得六十余阕，名曰《人间词甲稿》，余既叙而行之矣。今冬，复汇所作词为《乙稿》，丐余为之叙。余其敢辞，乃称曰：文学之事，其内足以摅己而外足以感人者，意与境二者而已。上焉者意与境浑，其次或以境胜，或以意胜，苟缺其一，不足以言文学。原夫文学之所以有意境者，以其能观也。出于观我者，意余于境；而出于观物者，境多于意。然非物无以见我，而观我之时，又自有我在。故二者常互相错综，能有所偏重，而不能有所偏废也。文学之工不工，亦视其意境之有无与其深浅而已。自夫人不能观古人之所观，而徒学古人之所作，于是始有伪文学。学者便之，相尚以辞，相习以模拟，遂不复知意境之为何物，岂不悲哉！苟持此以观古今人之词，则其得失，可得而言焉。温、韦之精艳，所以不如正中者，意境有深浅也。珠玉所以逊六一，小山所以愧淮海者，意境异也。美成晚出，始以辞采擅长，然终不失为北宋人之词者，有意境也。南宋词人之有意境者，唯一稼轩，然亦若不欲以意境胜。白石之词，气体雅健耳，至于意境，则去北宋人远甚。及梦窗、玉田出，并不求诸气体，而惟文字之是务，于是词之道熄矣。自元迄明，益以不振。至于国朝，而纳兰侍卫以天赋之才，崛起于方兴之族，其所为词，悲凉顽艳，独有得于意境之深，可谓豪杰之士奋乎百世之下者矣。同时朱、陈，既非劲敌；后世项、蒋，尤难鼎足。至乾、嘉以降，审乎体格韵律之间者愈微，而意味之溢于字句之表者愈浅。岂非拘泥文字，而不求诸意境之失欤？抑观我观物之事自有天在，固难期诸流俗欤？余与静安，均夙持此论。静安之为词，真能以意境胜，夫古今词人以意胜者，莫若欧阳公；以境胜者，莫若秦少游；至意、境两浑，则惟太白、后主、正中数人足以当之。静安之词，大抵意深于欧，而境次于秦。至其合作，如《甲稿·浣溪沙》之“天末同云”、《蝶恋花》之“昨夜梦中”，《乙稿·蝶恋花》之“百尺朱楼”等阕，皆意境两忘，物我一体；高蹈乎八荒之表，而抗心乎千秋之间；骎骎乎两汉之疆域，广于三代、贞观之政治，隆于武德矣。方之侍卫，岂徒伯仲。此固君所得于天者独深，抑岂非致力于意境之效也。至君词之体裁，亦与五代、北宋为近，然君词之所以为五代、北宋之词者，以其有意境在。若以其体裁故，而至遽指为五代、北宋，此又君之不任受，固当与梦窗、玉田之徒，专事摹拟者，同类而笑之也。光绪三十三年十月，山阴樊志厚叙。

录自《海宁王静安先生遗书·苕华词》

人间词甲稿

如梦令

点滴空阶疏雨，迢递严城更鼓。睡浅梦初成，又被东风吹去。无据，无据，斜汉垂垂欲曙。

浣溪沙

路转峰回出画塘，一山枫叶背残阳，看来浑不似秋光。隔座听歌人似玉，六街归骑月如霜，客中行乐只寻常。

临江仙

过眼韶华何处也？萧萧又是秋声！极天衰草暮云平，斜阳漏处，一塔枕孤城。独立荒寒谁语？蓦回头宫阙峥嵘。红墙隔雾未分明，依依残照，独拥最高层。

浣溪沙

草偃云低渐合围，雕弓声急马如飞，笑呼从骑载禽归。万事不如身手好，一生须惜少年时，那能白首下书帷。

又

霜落千林木叶丹，远山如在有无间，经秋何事亦孱颜？且向田家拚泥饮，聊从卜肆憩征鞍，只应游戏在尘寰。

好事近

夜起倚危楼，楼角玉绳低亚。唯有月明霜冷，浸万家鸳瓦。人间何苦又悲秋，正是伤春罢。却向春风亭畔，数梧桐叶下。

又

愁展翠罗衾，半是余温半泪。不辨坠欢新恨，是人间滋味。几年相守郁金堂，草草浑闲事。独向西风林下，望红尘一骑。

采桑子

高城鼓动兰釭灺，睡也还醒，醉也还醒，忽听孤鸿三两声。人生只似风前絮，欢也零星，悲也零星，都作连江点点萍。

西　河

垂柳里，兰舟当日曾系。千帆过尽，只伊人不随书至。怪渠道著我侬心，一般思妇游子。昨宵梦、分明记，几回飞渡烟水？西风吹断，伴灯花摇摇欲坠。宵深待到凤凰山，声声啼鴂催起。锦书宛在怀袖底，人迢迢紫塞千里，算是不曾相忆。倘有情早合归来，休寄一纸，无聊相思字。

摸鱼儿　秋柳

问断肠、江南江北，年时如许春色。碧阑干外无边柳，舞落迟迟红日。沙岸[①]直，又道是、连朝寒雨送行客。烟笼数驿，剩今日天涯，衰条折尽，月落晓风急。金城路，多少人间行役，当年风度曾识。北征司马今头白，唯有攀条霑臆。君莫折[②]，君不见、舞衣寸寸填沟洫。细腰谁惜？算只有多情，昏鸦点点，攒向断枝立。

蝶恋花

谁道江南秋已尽[③]，衰柳毵毵，尚弄鹅黄影。落日疏林光炯炯，不辞立尽西楼暝。万点栖鸦浑未定，潋滟金波，又幂青松顶。何处江南无此景，只愁没个闲人领。

鹧鸪天

列炬归来酒未醒，六街人静马蹄轻。月中薄雾漫漫白，桥外

① “沙岸”一作“长堤”。

② “君莫折”一作“都狼藉”。

③ “江南”一作“人间”。

渔灯点点青。从醉里，忆平生，可怜心事太峥嵘。更堪此夜西楼梦，摘得星辰满袖行。

点绛唇

万顷蓬壶，梦中昨夜扁舟去。萦回岛屿，中有舟行路。波上楼台，波底层层俯。何人住，断崖如锯，不见停桡处。

又

高峡流云，人随飞鸟穿云去。数峰著雨，相对青无语。岭上金光，岭下苍烟沍。人间曙，疏林平楚，历历来时路。

踏莎行

绝顶无云，昨宵有雨，我来此地闻天语。疏钟暝直乱峰回，孤僧晓度寒溪去。是处青山，前生俦侣，招邀尽入闲庭户。朝朝含笑复含颦，人间相媚争如许。

清平乐

樱桃花底，相见颓云髻。的的银缸[①]无限意，消得和衣浓

---

① “缸”一作“釭”。

睡。当时草草西窗，都成别后思量。料得[1]天涯异日，应[2]思今夜凄凉。

浣溪沙

月底栖雅当叶看，推窗跕跕坠枝间，霜高风定独凭栏。觅句心肝终复在，掩书涕泪苦无端，[3]可怜衣带为谁宽？

青玉案

姑苏台上乌啼曙，剩霸业，今如许。醉后不堪仍吊古，月中杨柳，水边楼阁，犹自教歌舞。野花开遍真娘墓，绝代红颜委朝露。算是人生赢得处，千秋诗料，一抔黄土，十里寒蛩语。

满庭芳

水抱孤城，雪开远戍，垂柳点点栖鸦。晚潮初落，残日漾平沙。白鸟悠悠自去，汀州外、无限蒹葭。西风起、飞花如雪，冉冉去帆斜。天涯还忆旧，香尘随马，明月窥车。渐秋风镜里，暗换年华。纵使长条无恙，重来处、攀折堪嗟。人何许，朱楼一角，寂寞倚残霞。

---

① “料得”一作“遮莫”。

② “应”一作“转”。

③ 两句一作“为制新词髭尽断，偶听悲剧泪无端”。

蝶恋花

阅尽天涯离别苦，不道归来，零落花如许。花底相看无一语，绿窗春与天俱莫。待把相思灯下诉，一缕新欢，旧恨千千缕。最是人间留不住，朱颜辞镜花辞树。

玉楼春

今年花事垂垂过，明岁开应更辨？看花终古少年多，只恐少年非属我。劝君莫厌尊罍大，醉倒且拚花底卧。君看今日树头花，不是去年枝上朵。

阮郎归

女贞花白草迷离，江南梅雨时，阴阴帘幙万家垂，穿帘双燕飞。朱阁外，碧窗西，行人一舸归。清溪转处柳阴底[①]，当窗人画眉。

浣溪沙

天末同云黯四垂，失行孤雁逆风飞，江湖寥落尔安归？陌上

① “底”一作“低”。

金丸看落羽，闺中素手试调醯[①]，今朝[②]欢宴胜平时。

又

山寺微茫背夕曛，鸟飞不到半山昏，上方孤磬定行云。试上高峰窥皓月，偶开天眼觑红尘，可怜身是眼中人。

青玉案

江南秋色垂垂暮，算幽事，浑无数。日日沧浪亭畔路；西风林下，夕阳水际，独自寻诗去。可怜愁与闲俱赴，待把尘劳截愁住。灯影幢幢天欲曙。闲中心事，忙中情味，并入西楼雨。

浣溪沙

昨夜新看北固山，今朝又上广陵船，金焦在眼苦难攀。猛雨自随汀雁落，湿云常与暮鸦寒，人天相对作愁颜。

鹊桥仙

沈沈戍鼓，萧萧厩马，起视霜华满地。猛然记得别伊时，正今日邮亭天气。北征车辙，南征归梦，知是调停无计。人间事事不堪凭，但除却无凭两字。

---

① 两句一作“陌上挟丸公子笑，座中调醯丽人嬉”。

② “朝”一作“宵”。

又

绣衾初展，银釭旋剔，不尽灯前欢语。人间岁岁似今宵，便胜却貂蝉无数。霎时送远，经年怨别，镜里朱颜难驻。封侯觅得也寻常，何况是封侯无据！

减字木兰花

皋兰被径，月底栏干闲独凭。修竹娟娟，风里时闻响佩环。蓦然深省，起踏中庭千个影。依尽人间，一梦钧天只惘然。

鹧鸪天

阁道风飘五丈旗，层楼突兀与云齐。空余明月连钱列，不照红葩倒井披。频摸索，且攀跻，千门万户是耶非？人间总是堪疑处，惟有兹疑不可疑。

浣溪沙

夜永衾寒梦不成，当轩减尽半天星，带霜宫阙日初升。客里欢娱和睡减，年来哀乐与词增，更缘何物遣孤灯？

又

画舫离筵乐[①] 未停，潇潇暮雨阖闾城，那堪还向曲中听。只恨当时形影密，不关今日[②] 别离轻，梦回酒醒忆平生。

又

才过苕溪又霅溪，短松疏竹媚朝辉，去年此际远人归。烧后更无千里草，雾中不隔万家鸡，风光浑异去年时。

贺新郎

月落飞乌鹊；更声声、暗催残岁，城头寒柝。曾记年时游冶处，偏反一栏红药。和士女、盈盈欢谑。眼底春光何处也？只极天、野烧明山郭，侧身望，天地窄。遣愁何计频商略，恨今宵、书城空拥，愁城难落。陋室风多青灯灺，中有千秋魂魄。似诉尽人间纷浊，七尺微躯百年里，那能消、今古闲哀乐，与蝴蝶，遽然觉。

人月圆 梅

天公应自嫌寥落，随意著幽花。月中霜里，数枝临水，水

---

① “乐”一作“手”。

② “日”一作“朝”。

底横斜。萧然四顾，疏林远[1]渚，寂寞天涯。一声鹤唳，殷勤唤起，大地清华。

卜算子　水仙

罗袜悄无尘，金屋浑难贮。月底溪边一晌看，便恐凌波去。独自惜幽芳，不敢矜迟莫。却笑孤山万树梅，狼藉花如许。

八声甘州

直青山缺处是孤城[2]，倒悬[3]浸明湖。森千帆影里[4]，参差宫阙，风展旌旄。向晚棹声渐急[5]，萧瑟杂菰蒲。列炬[6]严城去，灯火千衢。不道繁华如许，又万家爆竹，隔院笙竽。叹沈沈人海，不与慰羁孤！剩终朝襟裾相对，纵委蛇、人已厌狂疏。呼灯且觅朱家去，痛饮屠苏。

浣溪沙

曾识卢家玳瑁梁，觅巢新燕屡回翔，不堪重问郁金堂。今雨

---

① “远”一作“绕”。

② “是孤城”一作“倚东南”。

③ “倒悬”一作“万堞”。

④ 此句一作“看片帆指处”。

⑤ 此句一作“向晚橹声渐数”。

⑥ “列炬”一作“一骑”。

相看非旧雨，故乡罕乐况他乡，人间何地著疏狂。

踏莎行　元夕

绰约衣裳，凄迷香麝，华灯素面光交射。天公倍放月婵娟，人间解与春游冶。乌鹊无声，鱼龙不夜，九衢忙杀闲车马。归来落月挂西窗，邻鸡四起兰釭灺。

蝶恋花

急景流年真一箭，残雪声中，省识东风面。风里垂杨千万线，昨宵染就鹅黄浅。又是廉纤春雨暗，倚遍危楼，高处人难见。已恨平芜随雁远，暝烟更界平芜断。

又

窣地重帘围画省，帘外红墙，高与银河[①]并。开尽隔墙桃与杏，人间望眼何由骋。举首忽惊明月冷，月里依稀，认得山河影。问取常娥[②]浑未肯，相携素手层城[③]顶。

---

① “银河”一作“青天”。

② “常娥”，一作“嫦娥”。

③ “层城”一作“阆风”。

又

独向沧浪亭外路，六曲栏干，曲曲垂杨树。展尽鹅黄千万缕，月中并作濛濛雾。一片流云无觅处，云里疏星，不共云流去。闭置小窗真自误，人间夜色还如许。

浣溪沙

舟逐清溪弯复弯，垂杨开处见青山，毵毵绿发覆烟鬟。夹岸莺花迟日里，归船箫鼓夕阳间，一生难得是春闲。

临江仙

闻说金微郎戍处，昨宵梦向金微。不知今又过辽西，千屯沙上暗，万骑月中嘶。郎似梅花侬似叶，朅来手抚空枝。可怜开谢不同时，漫言花落早，只是叶生迟。

南歌子

又是乌西匿，初看雁北翔。好与报檀郎：春来宵渐短，莫思量！

荷叶杯　戏效花间体

手把金尊酒满，相劝。情极不能羞，乍调筝处又回眸。留摩留，留摩留。

又

矮纸数行草草，书到。总道苦相思，朱颜今日未应非。归摩归，归摩归。

又

无赖灯花又结，照别。休作一生拚，明朝此际客舟寒。欢摩欢，欢摩欢。

又

谁道闲愁如海，零碎。雨过一池沤，时时飞絮上帘钩。愁摩愁，愁摩愁。

又

昨夜绣衾孤拥，幽梦。一霎钿车尘，道旁依约见天人。真摩真，真摩真。

又

隐隐轻雷何处？将曙。隔牖见疏星，一庭芳树乱啼莺。醒摩醒，醒摩醒。

蝶恋花

窈窕燕姬年十五，惯曳长裾，不作纤纤步。众里嫣然通一顾，人间颜色如尘土。一树亭亭花乍[①]吐，除却天然，欲赠浑无语。当面吴娘夸善舞，可怜总被腰肢误。

玉楼春

西园花落深堪扫，过眼韶华真草草。开时寂寂尚无人，今日偏嗔摇落早。昨朝却走西山道，花事山中浑未了，数峰和雨对斜阳，十里杜鹃红似烧。

蝶恋花

辛苦钱塘江上水，日日西流，日日东趋海。两岸[②]越山澒洞里，可能销得英雄气。说与江潮应不至，潮落潮生，几换人间世。千载荒台麋鹿死，灵胥抱愤终何是。

又

谁道江南春事了，废苑朱藤，开尽无人到。高柳数行临古

① “乍”一作“下”。

② “两岸”一作“终古”。

道，一藤红遍千枝杪。冉冉赤云将绿绕，回首林间，无限斜阳好。若是春归归合早，余春只搅人怀抱。

水龙吟 杨花用章质夫苏子瞻唱和韵

开时不与人看，如何一霎濛濛坠。日长无绪，回廊小立，迷离情思。细雨池塘，斜阳院落，重门深闭。正参差欲住，轻衫掠处，又特地、因风起。花事阑珊到汝，更休寻、满枝琼缀。算来只合，人间哀乐，者般零碎。一样飘零，宁为尘土，勿随流水。怕盈盈一片春江，都贮得离人泪。

点绛唇

暗里追凉，扁舟径掠垂杨过。湿萤火大，一一风前堕。坐觉西南，紫电排云破。严城锁，高歌无和，万舫沈沈卧。

蝶恋花

莫斗婵娟弓样月，只坐蛾眉，消得千谣诼。臂上宫砂那不灭，古来积毁能销骨。手把齐纨相诀绝，懒祝西[1]风，再使人间热。镜里朱颜犹未歇，不辞自媚朝和夕[2]。

---

① “西”一作“秋”。
② “夕”一作“月”。

人间词乙稿

浣溪沙

七月西风动地吹，黄埃和叶满城飞，征人一日换缁衣。金马岂真堪避世？海鸥应是未忘机？故人今有问归期。

又

城郭秋生一夜凉，独骑瘦马傍宫墙，参差霜阙带朝阳。旋解冻痕生绿雾，倒涵高树作金光，人间夜色尚苍苍。

扫花游

疏林挂日，正雾淡烟收，苍然平楚。绕林细路、听沈沈落叶，玉骢踏去。背日丹枫，到眼秋光如许。正延伫，便一片飞来，说与迟暮。欢事难再溯！是载酒携柑，旧曾游处。清歌未住，又黄鹂趁拍，飞花入俎。今日重来，除是斜晖如故。隐高树，有寒鸦相呼俦侣。

祝英台近

月初残，门小掩，看上大堤去。徒御喧阗，行子黯无语。为谁收拾离颜？一腔红泪，待留向孤衾偷注。马蹄驻，但觉怨慕悲凉，条风过平楚。树上啼鹃，又诉岁华暮。思量只有，人间年年征路，纵有恨，都无啼处。

浣溪沙

乍向西邻斗草过，药栏红日尚婆娑，一春只遣睡消磨。发为沈酣从委枕，脸缘微笑暂生涡，这回好梦莫惊他。

虞美人

犀比六博消长昼，五白惊呼骤，不须辛苦问亏成，一霎尊前了了见浮生。笙歌散后人微倦，归路风吹面。西窗落月荡花枝，又是人间酒醒梦回时。

减字木兰花

乱山四倚，人马崎岖行井底。路逐峰旋，斜日杏花明一山。销沈就里，终古兴亡离别意。依旧年年，迤逦骡纲[①] 度上关。

---

① “纲”一作“网”。

蝶恋花

连岭去天知几尺？岭上秦关，关上元时阕。谁信京华尘里客，独来绝塞看明月。如此高寒真欲绝，眼底千山，一半溶溶白。小立西风吹索帻，人间几度生华发。

又

帘幙深深香雾重，四照朱颜，银烛光浮动。一霎新欢千万种，人间今夜浑如梦。小语灯前和目送，密意芳心，不放罗帏空。看取博山闲袅凤，濛濛一气双烟共。

又

手剔银灯惊炷短，拥髻无言，脉脉生清怨。此恨今宵争得浅？思量旧日深恩遍！月影移帘风过院，待到归来，传尽中宫箭。[①] 故拥绣衾遮素面，赚他醉里频频唤。

浣溪沙

似水轻纱不隔香，金波初转小回廊，离离丛菊已深黄。尽撤华灯招素月，更缘人面发花光，人间何处有严霜？

---

① 此三句一作“花影一帘和月转，直恁凄凉，此境何曾惯？”

蝶恋花

落日千山啼杜宇，送得归人，不遣居人住。[①] 自是精魂先魄去，凄凉病榻无多语。往事悠悠容细数，见说他生，又恐他生误。[②] 纵使兹盟终不负，那时能记今生否？

菩萨蛮

高楼直挽银河住，当时曾笑牵牛处。今夕渡河津，牵牛应笑人。桐梢垂露脚，梢上惊乌掠。灯焰不成青，绿窗纱半明。

应天长

紫骝却照春波绿，波上荡舟人似玉。似相知，羞相逐，一晌低头犹送目。鬓云欹，眉黛蹙，应恨这番匆促。恼（乱）一时心曲，[③] 手中双桨速。

菩萨蛮

红楼遥隔廉纤雨，沈沈暝色笼高树。树影到依窗，君家灯火光。风枝和影弄，似妾西窗梦。梦醒即天涯，打窗闻落花。

---

① 此三句一作“冉冉蘅皋春又暮，千里生还，一诀成终古！”

② 此两句一作“见说来生，只恐来生误”。

③ 诸本皆无“乱”字，此句缺一字便不合词律，今据陈乃文辑本《静安词》补。

又

玉盘寸断葱芽嫩，鸾刀细割羊肩进。不敢厌腥臊，缘君亲手调。红炉赪素面，醉把貂裘缓。归路有余狂，天街宵踏霜。

鹧鸪天

楼外秋千索尚悬，霜高素月慢[1]流天。倾残玉椀[2]难成醉，滴尽铜壶不解眠。人寂寂，夜厌厌，北窗情味似枯禅。不缘此夜金闺梦，那信人间尚少年。

浣溪沙

花影闲窗压几重，连环新解玉玲珑，日长无事等匆匆[3]。静听斑骓深巷里，坐看飞鸟镜屏中，乍梳云髻那时松。

又

爱棹[4]扁舟傍岸行，红妆素菡斗轻盈，脸边舷外晚霞明。为

① “慢”一作“正”。

② “椀”一作“碗”。

③ “匆匆”一作“悤悤”。

④ “棹”一作“櫂”。

惜花香停短棹[①]，戏窥鬓影拨流萍，玉钗斜立小蜻蜓。

蝶恋花

忆挂孤帆东海畔，咫尺神山，海上年年见。几度天风吹棹转，望中楼阁阴晴变。金阙荒凉瑶草短，到得蓬莱，又值蓬莱浅。只恐飞尘[②]沧海满[③]，人间精卫知何限？

喜迁莺

秋雨霁，晚烟拖，宫阙与云摩。片云流月入明河，鸩鹊散金波。宜春院，披香殿，雾里梧桐一片，华灯簇处动笙歌，复道属车过。

蝶恋花

翠幙轻寒无著处，好梦初回[④]，枕上惺忪语。残夜小楼浑欲曙，四山积雪明如许。莫遣良辰闲过去，起瀹龙团，对雪烹肥羜。此景人间殊不负，檐前冻雀还知否？

---

① “棹”一作“櫂”。
② “飞尘”一作“尘扬”。
③ “满”一作“遍”。
④ “回”一作“还”。

虞美人

金鞭珠弹嬉春日[①]，门户初相识。未能羞涩但娇痴，却立风前散发衬凝脂。近来瞥见都无语，但觉双眉聚。不知何日始工愁，记取那回花下一低头。

齐天乐　蟋蟀用姜石帚原韵

天涯已自悲秋极[②]，何须更闻虫语，乍响瑶阶，旋穿绣闼，更入画屏深处。喁喁似诉，有几许哀丝，佐伊机杼。一夜东堂，暗抽离恨万千绪。空庭相[③]和秋雨，又南城罢柝，西院停杵。试问王孙，苍茫岁晚，那有闲愁无[④]数？宵深谩与，怕梦隐春酣，万家儿女。不识孤吟，劳人床下苦。

点绛唇

波逐流云，棹[⑤]歌袅袅[⑥]凌波去。数声和橹，远入蒹葭浦。落日中流，几点闲鸥鹭。低飞处，菰蒲无数，瑟瑟风前语。

---

① 此句一作“弄梅骑竹嬉游日”。

② “秋”一作“愁”。

③ “相”一作“桐”。

④ “无”一作“此”。

⑤ “棹”一作“櫂”。

⑥ “袅袅”一作“缓缓”。

蝶恋花

春到临春花正妩，迟日阑干，蜂蝶飞无数。谁遣一春抛却去？马蹄日日章台路。几度寻春春不遇，不见春来，那识春归处？斜日晚风杨柳渚，马头何处无飞絮。

第三辑　教育杂感

论教育之宗旨

教育之宗旨何在？在使人为完全之人物而已。何谓完全之人物？谓人之能力无不发达且调和是也。人之能力分为内外二者：一曰身体之能力，一曰精神之能力。发达其身体而萎缩其精神，或发达其精神而罢敝其身体，皆非所谓完全者也。完全之人物，精神与身体必不可不为调和之发达。而精神之中又分为三部：知力、感情及意志是也。对此三者而有真美善之理想：真者知力之理想，美者感情之理想，善者意志之理想也。完全之人物，不可不备真美善之三德。欲达此理想，于是教育之事起。教育之事亦分为三部：智育、德育（即意育）、美育（即情育）是也。如佛教之一派，及希腊罗马之斯多噶派，抑压人之感情，而使其能力专发达于意志之方面；又如近世斯宾塞尔之专重智育，虽非不切中一时之利弊，皆非完全之教育也。完全之教育，不可不备此三者，今试言其大略。

智　育

人苟欲为完全之人物，不可无内界及外界之知识，而知识之程度之广狭，应时地不同。古代之知识，至近代而觉其不足；闭关自守时之知识，至万国交通时而觉其不足。故居今之世者，不可无今世之知识。知识又分为理论与实际二种。溯其发达之次序，则实际之知识常先于理论之知识；然理论之知识发达后，又为实际之知识之根本也。一科学如数学、物理学、化学、博物学等，皆所谓理论之知识。至应用物理、化学于农工学，应用生理学于医学，应用数学于测绘等，谓之实际之知识。理论之知识乃人人天性上所要求者，实际之知识则所以供社会之要求，而维持一生之生活。故知识之教育，实必不可缺者也。

德　育

然有知识而无道德，则无以得一生之福祉，而保社会之安宁，未得为完全之人物也。夫人之生也，为动作也，非为知识也。古今中外之哲人，无不以道德为重于知识者，故古今中外之教育，无不以道德为中心点。盖人人至高之要求，在于福祉，而道德与福祉实有不可离之关系。爱人者人恒爱之，敬人者人恒敬之。不爱敬人者反是。如影之随形，响之随声，其效不可得而诬也。《书》云："惠迪吉，从逆凶。"希腊古贤所唱福德合一论，固无古今中外之公理也。而道德之本原，又由内界出而非外铄我者。张皇而发挥之，此又教育之任也。

美　育

德育与智育之必要，人人知之，至于美育有不得不一言者。盖人心之动，无不束缚于一己之利害；独美之为物，使人忘一己之利害，而人高尚纯洁之域，此最纯粹之快乐也。孔子言志，独与曾点；又谓“兴于诗”“成于乐”。希腊古代之以音乐为普通学之一科，及近世希痕林、希尔列尔等之重美育学，实非偶然也。要之，美育者，一面使人之感情发达，以达完美之域；一面又为德育与智育之手段，此又教育者所不可不留意也。

然人心之知情意三者，非各自独立，而互相交错者。如人为一事时，知其当为者“知”也，欲为之者“意”也，而当其为之前又有苦乐之“情”伴之，此三者不可分离而论之也。故教育之时，亦不能加以区别。有一科而兼德育、智育者，有一科而兼美育、德育者，又有一科而兼此三者。三者并行而得渐达真善美之理想，又加以身体之训练，斯得为完全之人物，而教育之能事毕矣。

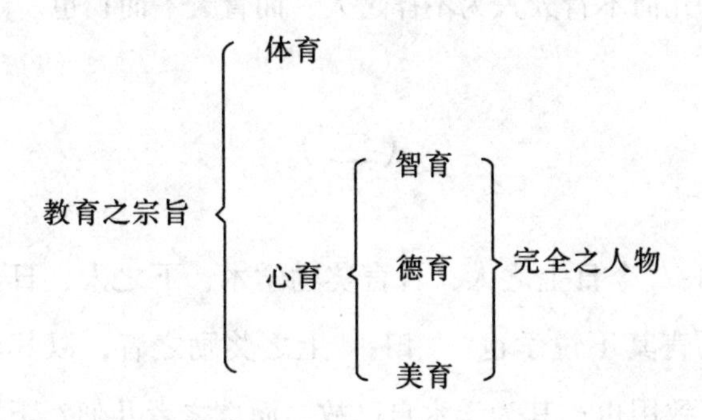

载1903年《教育世界》

教育小言十则

（一）

学术之绝，久矣。昔孔子以老者不教、少者不学，为国之不祥；闵子马以原伯鲁之不悦学，而卜原氏之亡。今举天下之人而不悦学，几何不胥人人为不祥之人，而胥天下而亡也。

（二）

或曰："今日上之人，日言奖励学术；下之人，日言研究学术；子曷言其不悦学也？"曰："上之奖励之者，以其名也，否则以其可致用也；其为学术自己故，而尊之者几何？下之研究之者，亦以其名也，否则以其可得利禄也，否则以其可致用也；其为学术自己故，而研究之者，吾知其不及千分之一也。"

（三）

夫然，故今之学者，其治艺者多，而治学者少。即号称治学者，其能知学与艺之区别，而不视学为艺者，又几人矣。故其学苟可以得利禄，苟略可以致用，则遂嚣然自足，或以筌蹄视之。彼等于学问，固无固有之兴味，则其中道而止，固不足怪也。

（四）

治新学者既若是矣，治旧学者又何如？十年以前，士大夫尚有闭户著书者，今虽不敢谓其绝无，然亦如凤毛麟角矣。夫今日欲求真悦学者，宁于旧学中求之。以研究新学者之真为学问欤？抑以学问为羔雁欤？吾人所不易知，不如深研见弃之旧学者，吾人能断其出于好学之真意故也。然今则何如？

（五）

德清俞氏之殁，几半年矣。俞氏之于学问，固非有所心得，然其为学之敏与著书之勤，至耄而不衰，固今日学者之好模范也。然于其死也，社会上无铺张之者，亦无致哀悼之词者，计其价值乃不如以脑病蹈海之留学生。吾国人对学问之兴味如何，亦可于此观之矣！

（六）

然吾人亦非谓今之学者绝不悦学也，即有悦之者，亦无坚忍之志、永久之注意。若是者，其为口耳之学，则可矣；若夫绵密之科学，深邃之哲学，伟大之文学，则固非此等学者所能有事也。

（七）

日之暮也，人之心力已耗，行将就床；此时不适于为学，非与人闲话，则但可读杂记、小说耳。人之老也，精力已耗，行将就木；此时亦不适于为学，非枯坐终日，亦但可读杂记、小说耳。今奈何一国之学者而无朝气，无注意力也，其将就睡欤？抑将就木欤？吾不得而知之。吾但祈孔子与闵子马之言之不验而已矣。

（八）

要之，我国人废学之病，实原于意志之薄弱。而意志薄弱之结果，于废学外，又生三种之疾病：曰运动狂，曰嗜欲狂，曰自杀狂。

（九）

前二者之为意志薄弱之结果，人皆知之。至自杀之事，吾人姑不论其善恶如何，但自心理学上观之，则非力不足以副其志而入于绝望之域，必其意志之力不能制其一时之感情，而后出此也。而意志薄弱之社会反以美名加之，吾人虽不欲科以杀人之罪，其可得乎？

（十）

然则，今日之言教育者，宜如何讲求陶冶意志之道乎？然教育家中，其有强毅之意志者有几？《诗》曰："螟蛉有子，[果蠃]（蜾蠃）负之。教诲尔子，式穀似之。"此大可为社会前途虑。

载1906年《教育世界》

教育小言十二则

一

学部之职，各国所谓伴食大臣也。今朝廷立学部，而以亲贤之枢臣领之，上之视学部如是其重也，学部之足以有为，如是其易也。学部立二月矣，而不闻发一号施一令，部臣之於学事如是其慎也。处甚重之地，乘易为之势，而又临之以谨慎，其有所为也，则世之所以颂祷学部者，当如何？其无所为也，则世之责备之者，又当如何矣？

二

今人日日言初等教育，至中等教育则往往谢不敏，若进而主张高等及专门教育，未有不惊其河汉者也！夫以学生修学之次序言之，则先初等、中等，而后及高等教育，固甚当也。若论学问之根柢与教师之所自出，则初等教育之根柢存于中等教育，中等教育之根柢存于高等教育，不兴高等教育，则中等及初等教育亦均无下手之处。世人之主义，余曩者谓之平凡主义，既而思之，此名尚未适当，彼等实苟且主义也、颠倒主义也，曰师范传习所、曰私塾改良会，尤苟且主义中之苟且者也。

三

吾国之所素乏及现在之所最需要者，高等及中等教育也。若夫初等教育，则夫城市村落之蒙塾，虽其卤莽灭裂实甚，然仅可谓之不完全，未可谓之绝无也。至高等教育，则在今日谓之无也，可矣。今之君子动曰小学、小学，然不兴中等教育，则小学之教师其能贤于昔之蒙塾者几何？不兴高等教育，则中学之教师又安从得乎？兴高等教育，则食其利者不独初等及中等教育，而二者实于是立其根柢。若但言初等小学，则虽平凡乎，苟且乎，恐平凡苟且之成绩，亦终不可得也。

四

吾人之主义谓之贵族主义，但所谓贵族主义者，非政治上之贵族主义，而知力上之贵族主义也。夫人类知力之不齐，此彰明较著之事实，无可讳也。初等教育以普及全国为宗旨，故虽下愚之人，亦有受教育之权利，而国家亦有教育之之义务。初等教育之所以为最难之事业者，其故半由于此也。若高等教育，其性质则全与此异。今举我全国中学生而行选拔试验，集其知力之优胜及稍有普通学及外国文之知识者约可得数千人，然后与以一二年严密之预备，而授以专门之学，吾知其成迹较之外国之蹈小学、中学之次序而按格而入大学者，必有优无劣也。以今日人才之取乏如彼，而国家待用之亟如此，则育才之方法未有适于此者也。

故贵族主义，今日最适之主义也，况其馀润所及又足以立中学、小学之根柢乎！

五

难者曰：如子之说，则今之小学、中学既无教师矣，则高等教育之教师又乌乎取之？曰：此非用外人不可。夫外人者，当事者之所患也，患其侵教育权也，患其不得其人也，患得其人而不为用也。夫用舍之权在我，则权何自而侵？至后二者，唯监督者之不得其人，斯有之耳。然以观今日监督学堂之人，则其於本国人未必能用之，况外人乎！以监督者之不得其宜，而谓外人之不可用，则未免因噎而废食也。

六

高等教育既兴，则外国留学可废。以后海外留学生限于分科大学卒业生中选之，以研究学术之阃奥。全国官费生以百馀人为额，私费者听之。其大学中未设立之科，则亦得委托外国大学教授，以后分科大学之教师渐以大学卒业后之留学生及学力与之相等者代之。如此十年，则分科大学中除授外国语学外，可无以外国人而担任讲座者矣。此永久之策也。

七

留学生之数之多，如我中国之今日，实古今中外之所未闻也。通东西洋之留学生数不下万人，每人平均岁以五百元计，则岁需五百万元，以此五百万元兴国中之高等教育，不虞其不足。即令稍有不足，其受教育之人数必倍于今日之留学生之数无疑也。且留学生之大半所学者，速成政法耳，速成师范耳。以不谙外国语之人，涉数千里之外学至粗浅之学而令东京之私立学校得因之以为市此日本文部省限制私立学校令之所以发也。而我国留学生之大半起而争之，曰停课，曰归国，其问题悬至今日而未有所决，此足以窥留学生多数之知识，而昔之勇于派遣者亦不得不分任其责也。既派遣者已无可如何，后之谋教育者不可不知所变计矣。

八

异哉，我国绅士之势力竟如此其大乎！吾非谓绅士之不可有势力也，以绅士之不知教育之无异于官也，则不能不惊其势力之大矣。夫教育之事，以明教育者为之，则可耳，官可也，绅亦可也。苟一为绅士而即可以任教育之事，吾不能知绅之有以异于官否也。以今日之某省学会之所陈议观之，余始知绅士之为万能之人也。

九

世之勇于任教育者，有四途：有以为公益者焉，有以为势力者焉，有以为名高者焉，有以为实利者焉。为公益而为之者，圣贤也。为势力而为之者，豪杰也。为名与利而为之者，小人也。

圣贤不可得，得豪杰而用之，斯可矣。若夫小人，则以教育为一手段，而不以为目的，虽深明教育之人，犹不可用，况乎以群盲而聚讼乎！

十

去岁之冬，我中国学界最多事之时代也。於东京，则有留学生多数之停课；於南京，则有苏学生与赣、皖学生之争额；於苏州，则有苏、松太学生与常、镇、淮、扬、徐、海学生之争。东京之事，既如上文所论矣；南京之事所争者，犹省界也；苏州之事，则浸而及府界、县界矣。曾谓我国最有望、最可爱之学生，而量如是狭隘乎！人类同胞之思想在今日固有所不可行，至於中国人之思想，则凡书左行字而说单独语者，当无不有之，乃以我国最有望、最可爱之学生而所争者如此。此不能不为教育前途惜者也。

十一

管理学堂者湘人，则湘籍之学生居其半额矣。若为闽人、浙人，则闽若浙籍之学生居其半额矣。管理学堂者，以同乡之谊取学生。学生以同乡之力抵抗之，十七省非同乡会之独摈苏人，则亦同乡会之一种也。故我中国，无中国人也，有湘人、浙人、苏人……而已。人初相见，必问贵省，省乎、府乎、县乎？此种陋劣根性，其根柢远存于千百年以前，欲一旦扫除而廓清之，吾知其难也，是在有教育之责者，有以渐而化之矣。

十二

以中国之大、当事及学者之众、教育之事之亟，而无一人深究教育学理及教育行政者，是可异已。以余之不知教育且不好之也，乃不得不作教育上之论文及教育上之批评，其可悲为如何矣！使教育上之事，余辈可以无言，即欲有言而有人代为言之也，则岂独我中国教育之幸哉，亦余个人之私幸也！

载1906年《教育世界》

教育小言十三则

（一）

今有一厂主，集群职工而谕之曰：汝等各勤汝职，数年后，余将使汝治会计，事少而偿多，足以剂汝今日之劳矣。汝等虽不娴，余不汝责也。群职工大喜，日夜以希主人之所以许之者，事益不治。呜呼！如斯厂者，为职工计，诚得矣；其如一厂之资本何？余以为，今之以官爵奖励人才者，实无以异于此也。

（二）

今之世界，分业之世界也。一切学问、一切职事，无往而不需特别之技能、特别之教育，一习其事，终身以之。治一学者之不能使治他学，任一职者之不能使任他职，犹金工之不能使为木工，矢人之不能使为函人也。

（三）

今之用人行政者，则殊异乎是。夫天下之事至繁赜也，所需之人才至纷沓也，而上所以驭之者至简；始则以“洋服”二字括之，继则以“新学”或“新政”二字括之。其所以奔走之者尤简，则以“官”之一字括之。

（四）

夫治官之事而以官奔走之，犹可言也，然必须所与之官与其所治之事相合，然后在上者能收其用，而在下者能尽其职。今则不然，师范生服务期满，则与以官矣；高等教育之卒业者，亦与以官矣。

（五）

夫官之名，至广莫也；种类，至复杂也。以能任一事之才，而与以至广漠之名，使之他日治不可知之事，比之厂主之使职工治会计者，其智之相越，盖不远矣。

（六）

且官之为物，兼劳动与报酬二义。其所受之报酬，即所以偿其同时之劳动，非可以为奖励之具也。如以是为奖励，则人之得之者，必但注意于报酬之一面，而忘其劳动之一面，不然，则奖励之谓何矣。且师范生服务期限止于五年，以五年之劳动而于相当之报酬外，又得终身之报酬，为劳动者计则得矣。上之所以报之者，独不虑有所不给乎？

（七）

吾国下等社会之嗜好，集中于“利”之一字上；中社会之嗜好，亦集中于此；而以“官”为利之代表故，又集中于“官”之一字。夫欲以一二人之力拂社会全体之嗜好，以成一事，吾知其难也。知拂之之不可，而忘夫奖励之之尤不可，此谓能见秋毫之末，而不能见泰山者矣。

（八）

教育者，神圣之事业也。日本之不以教员待教员，而以官待教员，吾人之素所不喜也。然以今日我国上下之趋势观之，则知彼国之以教员为一官职，而即于其中迁转者，真可谓斟酌于教育之独立与社会人心之趋向之间，而得其平者矣。

（九）

夫教员、医生、政治家、法律家、工学家之学，固职业的学问也。对此等学问家，而以其职业上相当之官与之，则上得以收其用，而下得以尽其长，固非徒奖励之为而已。但美其名曰奖励，曰报酬，而浑其报酬之之物曰官，则于用人之目的已失，而其手段又误，如上文之所批评，其理固人人之所易解也。以职业的学问而犹若是，况于非职业的学问乎？

（十）

非职业的学问何？科学、哲学、文学、美术（按，指艺术）四者，是已。治职业者，苟心乎职业外之某物（官），则已不能平心于其职，况乎对非职业的学问家，而与以某种之职业（官）乎？故以官奖励职业，是旷废职业也；以官奖励学问，是剿灭学问也。今以官与服务期满之师范生，非所谓以官奖励职业者乎？以官之媒介之举人进士，予卒业生，非所谓以官奖励学问者乎？上之所以奖励之者如此，无怪举天下不知有职业学问？而惟官之是知也。

（十一）

日本当明治七年间，日人谓其大学校曰：官吏制造所。试问我国之制造官吏者，独一大学而已乎？以大学为未足，而又制造之于优级、初级师范学校矣；以国内为未足，而又制造之于国外矣。

（十二）

今之人士之大半，殆舍官以外无他好焉。其表面之嗜好，集中于官之一途，而其里面之意义，则今日道德、学问、实业等皆无价值之证据也。夫至道德、学问、实业等皆无价值，而惟官有价值，则国势之危险何如矣！社会之趋势既已如此，就令政府以全力补救之，犹恐不及，况复益其薪而推其波乎？

（十三）

故为今日计，政府不可不执消极及积极之二方法。消极之法，则不以官为奖励之具是已；积极之法，则必使道德、学问、实业等有独立之价值，然后足以旋转社会之趋势。然用第二方法而一不慎，则世且有以道德、学问、实业为手段而求官者，失之毫厘，差以千里。此又不可不注意也。

载 1907 年《教育世界》

论小学唱歌科之教材

今日教育上有一可喜之现象，则音乐研究之勃兴是也。二三年来，学校唱歌集之出版者以数十计，大都会之小学校，亦往往设唱歌一科，至“夏期音乐研究会”等，时有所闻焉。然就唱歌集之材料观之，则吾人不能不谓提倡音乐、研究音乐者之大半于此科之价值实尚未尽晓也。夫音乐之形而上学的意义（如古代希腊毕达哥拉斯及近世叔本华之音乐说）姑不具论，但就小学校所以设此科之本意言之，则：（一）调和其感情；（二）陶冶其意志；（三）练习其聪明官及发声器是也。（一）与（三）为唱歌科自己之事业，而（二）则为修身科与唱歌科公共之事业。故唱歌科之目的，自以前者为重；即就后者言之，则唱歌科之补助修身科，亦在形式而不在内容（歌词）。虽有声无词之音乐，自有陶冶品性，使之高尚和平之力，固不必用修身科之材料为唱歌科之材料也。故选择歌词之标准，宁从前者而不从后者。若徒以干燥、拙劣之词，述道德上之教训，恐第二目的未达，而已失其第一之目的矣。欲达第一目的，则于声音之美外，自当益以歌词之美；而就歌词之美言之，则今日作者之自制曲，其不如古人之名作，审矣。或谓古人之名作不必合于小学教育之目的与程度，然古诗中之咏自然之美及古迹者，亦正不乏此等材料，以有具体的性质而可以呈于儿童之直观故，故较之道德上抽象之教训反为易解；且可与历史、地理及理科中之材料相联络，而其对修身科之联络，则宁与体操科等。盖一在养其感情，一在强其意志，其关系乃普遍关系，而不关于材质之意义也。循此标准，则唱歌科庶不致为修身科之奴隶，而得保其独立之位置欤？

载1907年《教育世界》

论近年之学术界

外界之势力之影响于学术，岂不大哉！自周之衰，文王、周公势力之瓦解也，国民之智力成熟于内，政治之纷乱乘之于外，上无统一之制度，下迫于社会之要求，于是诸子九流各创其学说，于道德、政治、文学上，灿然放万丈之光焰。此为中国思想之能动时代。自汉以后，天下太平，武帝复以孔子之说统一之。其时新遭秦火，儒家唯以抱残守缺为事，其为诸子之学者，亦但守其师说，无创作之思想，学界稍稍停滞矣。佛教之东，适值吾国思想凋敝之后，当此之时，学者见之，如饥者之得食，渴者之得饮，担簦访道者，接武于葱岭之道；翻经译论者，云集于南北之都，自六朝至于唐室，而佛陀之教极千古之盛矣。此为吾国思想受动之时代。然当是时，吾国固有之思想与印度之思想互相并行而不相化合，至宋儒出而一调和之。此又由受动之时代出而稍带能动之性质者也。自宋以后以至本朝，思想之停滞略同于两汉，至今日而第二之佛教又见告矣，西洋之思想是也。

今置宗教之方面勿论，但论西洋之学术。元时罗马教皇以希腊以来所谓七术（文法、修辞、名学、音乐、算术、几何学、天文学）遗世祖，然其书不传。至明末，而数学与历学，与基督教俱入中国，遂为国家所采用。然此等学术，皆形下之学，与我国思想上无丝毫之关系也。咸同以来，上海、天津所译书，大率此类。唯近七八年前，侯官严氏（复）所译之赫胥黎《天演论》（赫氏原书名《进化论与伦理学》，译义不全）出，一新世人之耳目，比之佛典，其殆摄摩腾之《四十二章经》乎？嗣是以后，达尔文、斯宾塞之名，腾于众人之口；物竞天择之语，见于通俗之文。顾严氏所奉者，英吉利之功利论及进化论之哲学耳，其兴味之所存，不存于纯粹哲学，而存于哲学之各分科，如经济、社会等学，其所最好者也。故严氏之学风，非哲学的，而宁科学的也，此其所以不能感动吾国之思想界者也。近三四年，法国十八世纪之自然主义，由日本之介绍，而入于中国，一时学海波涛沸渭矣。然附和此说者，非出于知识，而出于情意。彼等于自然主义之根本思想，固懵无所知，聊借其枝叶之语，以图遂其政治上之目的耳。由学术之方面观之，谓之无价值可也。其有蒙西洋学说之影响，而改造古代之学说，于吾国思想界上占一时之势力者，则有南海□□□之《孔子改制考》《春秋董氏学》，浏阳□□□之《仁学》。□氏以元统天之说，大有泛神论之臭味，其崇拜孔子也颇模仿基督教，其以预言者自居，又居然抱穆罕默德之野心者也。其震人耳目之处，在脱数千年思想之束缚，而易之以西洋已失势力之迷信，此其学问上之事业，不得不与其政治上之企图同归于失败者也。然□氏之于学术，非有固有之兴味，不过以之为政治上之手段，《荀子》所谓“今之学者以为禽犊”者也。□氏之说，则出于上海教会中所译之治心免病法，其形而上学之以太说，半唯物论、半神秘论也。人之读此书者，其兴味不在此等幼稚之形而上学，而在其政治上之意见。□氏此书之目的，亦在此而不在彼，固与南海□氏同也。庚辛以还，各种杂志接踵而起，其执笔者，非喜事之学生，则亡命之逋臣也。此等杂志，本不知学问为何物，而但有政治上之目的，虽时有学术上之议论，不但剽窃灭裂而已，如《新民丛报》中之《汉德哲学》其纰缪十且八九也。其稍有一顾之价值者，则《浙江潮》中某氏之《续无鬼论》，作者忘其科学家之本分，而闯入形而上学，以鼓吹其素朴浅薄之唯物论，其科学上之引证亦甚疏略，然其唯有学术上之目的，则固有可褒者。又观近数年之文学，亦不重文学自己之价值，而唯视为政治教育之手段，与哲学无异。如此者，其亵渎哲学与文学之神圣之罪固不可逭，欲求其学说之有价值，安可得也！故欲学术之发达，必视学术为目的，而不视为手段而后可。汗德《伦理学》之格言曰："当视人人为一目的，不可视为手段。"岂特人之对人当如是而已乎，对学术亦何独不然？然则彼等言政治，则言政治已耳，而必欲渎哲学、文学之神圣，此则大不可解者也。

近时之著译与杂志既如斯矣，至学校则何如？中等学校以下，但授国民必要之知识，其无与于思想上之事，固不俟论。京师大学之本科，尚无设立之日，即令设立，而据南皮张尚书之计划，仅足以养成呫哔之俗儒耳。此外私立学校，亦无足以当专门之资格者。唯上海之震旦学校，有丹徒马氏（良）之哲学讲义，虽未知其内容若何，然由其课程观之，则依然三百年前特嘉尔之独断哲学耳。国中之学校如此，则海外之留学界如何？夫同治及光绪初年之留学欧美者，皆以海军制造为主，其次法律而已，以纯粹科学专其家者，独无所闻；其稍有哲学之兴味如严复氏者，亦只以余力及之，其能接欧人深邃伟大之思想者，吾决其必无也。即令有之，亦其无表出之之能力，又可决也。况近数年之留学界，或抱政治之野心，或怀实利之目的，其肯研究冷淡干燥无益于世之思想问题哉！即有其人，然现在之思想界，未受其戋戋之影响，则又可不言而决也。

由此观之，则近数年之思想界，岂特无能动之力而已乎，即谓之未尝受动，亦无不可也。夫西洋思想之入我中国，为时无几，诚不能与六朝唐宋之于印度较，然西洋之思想与我中国之思想，同为入世间的，非如印度之出世间的思想，为我国古所未有也。且重洋交通，非有身热头痛之险；文字易学，非如佉卢之难也，则我国思想之受动，宜较昔日为易，而顾如上所述者何哉？盖佛教之人中国，帝王奉之，士夫敬之，蚩蚩之氓膜拜而顶礼之；且唐宋以前，孔子之一尊未定，道统之说未起，学者尚未有入主出奴之见也，故其学易盛，其说易行。今则大学分科，不列哲学，士夫谈论，动诋异端，国家以政治上之骚动，而疑西洋之思想皆酿乱之麴糵；小民以宗教上之嫌忌，而视欧美之学术皆两约之悬谈。且非常之说，黎民之所惧；难知之道，下士之所笑，此苏格拉底之所以仰药，婆鲁诺之所以焚身，斯披诺若之所以破门，汗德之所以解职也。其在本国且如此，况乎在风俗文物殊异之国哉！则西洋之思想之不能骤输入我中国，亦自然之势也。况中国之民，固实际的而非理论的，即令一时输入，非与我中国固有之思想相化，决不能保其势力。观夫三藏之书已束于高阁，两宋之说犹习于学官，前事之不忘，来者可知矣。

然由上文之说，而遂疑思想上之事，中国自中国，西洋自西洋者，此又不然。何则？知力人人之所同有，宇宙人生之问题，人人之所不得解也。其有能解释此问题之一部分者，无论其出于本国或出于外国，其偿我知识上之要求，而慰我怀疑之苦痛者则一也。同此宇宙，同此人生，而其观宇宙人生也，则各不同。以其不同之故，而遂生彼此之见，此大不然者也。学术之所争，只有是非真伪之别耳。于是非真伪之别外，而以国家、人种、宗教之见杂之，则以学术为一手段，而非以为一目的也。未有不视学术为一目的而能发达者，学术之发达，存于其独立而已。然则吾国今日之学术界，一面当破中外之见，而一面毋以为政论之手段，则庶可有发达之日欤！

载1905年《教育世界》

屈子文学之精神

我国春秋以前，道德政治上之思想可分之为二派：一帝王派，一非帝王派。前者称道尧、舜、禹、汤、文、武，后者则称其学出于上古之隐君子（如庄周所称广成子之类），或托之于上古之帝王。前者近古学派，后者远古学派也；前者贵族派，后者平民派也；前者入世派，后者遁世派（非真遁世派，知其主义之终不能行于世，而遁焉者也）也；前者热性派，后者冷性派也；前者国家派，后者个人派也；前者大成于孔子、墨子，而后者大成于老子（老子，楚人，在孔子后，与孔子问礼之老聃系二人。说见汪容甫《述学·老子考异》），故前者北方派，后者南方派也。此二派者，其主义常相反对，而不能相调和，观孔子与接舆、长沮、桀溺、荷篠丈人之关系，可知之矣。战国后之诸学派，无不直接出于此二派，或出于混合此二派，故虽谓吾国固有之思想不外此二者可也。

夫然，故吾国之文学，亦不外发表二种之思想。然南方学派则仅有散文的文学，如《老子》《庄》《列》是已。至诗歌的文学，则为北方学派之所专有。《诗三百篇》大抵表北方学派之思想者也，虽其中如《考槃》《衡门》等篇，略近南方之思想，然北方学者所谓"用之则行，舍之则藏""有道则见，无道则隐"者，亦岂有异于是哉？故此等谓之南北公共之思想则可，必非南方思想之特质也。然则诗歌的文学，所以独出于北方之学派中者，又何故乎？

诗歌者，描写人生者也（用德国大诗人希尔列尔之定义）。此定义未免太狭，今更广之曰描写自然及人生，可乎？然人类之兴味，实先人生而后自然，故纯粹之模山范水、流连光景之作，自建安以前，殆未之见。而诗歌之题目，皆以描写自己之感情为主。其写景物也，亦必以自己深邃之感情为之素地，而始得于特别之境遇中，用特别之眼观之。故古代之诗所描写者，特人生之主观的方面；而对人生之客观的方面，及纯处于客观界之自然，断不能以全力注之也。故对古代之诗，前之定义宁苦其广，而不苦其隘也。

诗之为道，既以描写人生为事，而人生者，非孤立之生活，而在家族、国家及社会中之生活也。北方派之理想，置于当日之社会中；南方派之理想，则树于当日之社会外。易言以明之，北方派之理想，在改作旧社会；南方派之理想，在创造新社会。然改作与创造，皆当日社会之所不许也。南方之人，以长于思辩，而短于实行，故知实践之不可能，而即于其理想中求其安慰之地，故有遁世无闷，嚣然自得以没齿者矣。若北方之人，则往往以坚忍之志，强毅之气，持其改作之理想，以与当日之社会争；而社会之仇视之也，亦与其仇视南方学者无异，或有甚焉。故彼之视社会也，一时以为寇，一时以为亲，如此循环，而遂生欧穆亚（Humour）之人生观。《小雅》中之杰作，皆此种竞争之产物也。且北方之人，不为离世绝俗之举，而日周旋于君臣、父子、夫妇之间，此等在在畀以诗歌之题目，与以作诗之动机。此诗歌的文学，所以独产于北方学派中，而无与于南方学派者也。

然南方文学中，又非无诗歌的原质也。南人想象力之伟大丰富，胜于北人远甚。彼等巧于比类，而善于滑稽，故言大则有若北溟之鱼，语小则有若蜗角之国；语久则大椿冥灵，语短则蟪蛄朝菌；至于襄城之野，七圣皆迷；汾水之阳，四子独往，此种想象决不能于北方文学中发见之。故《庄》《列》书中之某部分，即谓之散文诗，无不可也。夫儿童想象力之活泼，此人人公认之事实也。国民文化发达之初期亦然，古代印度及希腊之壮丽之神话，皆此等想象之产物。以我中国论，则南方之文化发达较后于北方，则南人之富于想象，亦自然之势也。此南方文学中之诗歌的特质之优于北方文学者也。

由此观之，北方人之感情，诗歌的也，以不得想象之助，故其所作遂止于小篇；南方人之想象，亦诗歌的也，以无深邃之感情之后援，故其想象亦散漫而无所丽，是以无纯粹之诗歌。而大诗歌之出，必须俟北方人之感情与南方人之想象合而为一，即必通南北之驿骑而后可，斯即屈子其人也。

屈子南人而学北方之学者也。南方学派之思想，本与当时封建贵族之制度不能相容。故虽南方之贵族，亦常奉北方之思想焉。观屈子之文，可以征之。其所称之圣王，则有若高辛、尧、舜、禹、汤、少康、武丁、文、武，贤人则有若皋陶、挚说、彭、咸（谓彭祖、巫咸，商之贤臣也，与“巫咸将夕降兮”之巫咸，自是二人,《列子》所谓“郑有神巫，名季咸”者也）、比干、伯夷、吕望、宁戚、百里、介推、子胥，暴君则有若夏启、羿、浞、桀、纣，皆北方学者之所常称道，而于南方学者所称黄帝、广成等不一及焉。虽《远游》一篇，似专述南方之思想，然此实屈子愤激之词，如孔子之居夷浮海，非其志也。《离骚》之卒章，其旨亦与《远游》同，然卒曰："陟升皇之赫戏兮，忽临睨夫旧乡。仆夫悲余马怀兮，蜷局顾而不行。"《九章》中之《怀沙》，乃其绝笔，然犹称重华、汤、禹，足知屈子固彻头彻尾抱北方之思想，虽欲为南方之学者，而终有所不慊者也。

屈子之自赞曰"廉贞"。余谓屈子之性格，此二字尽之矣。其廉固南方学者之所优为，其贞则其所不屑为，亦不能为者也。女媭之詈，巫咸之占，渔父之歌，皆代表南方学者之思想，然皆不足以动屈子。而知屈子者，唯詹尹一人。盖屈子之于楚，亲则肺腑，尊则大夫，又尝管内政外交上之大事矣，其于国家既同累世之休戚，其于怀王又有一日之知遇，一疏再放，而终不能易其志，于是其性格与境遇相待，而使之成一种之欧穆亚。《离骚》以下诸作，实此欧穆亚所发表者也。使南方之学者处此，则贾谊(《吊屈原文》)、扬雄(《反离骚》)是，而屈子非矣。此屈子之文学，所负于北方学派者也。

然就屈子文学之形式言之，则所负于南方学派者，抑又不少。彼之丰富之想象力，实与《庄》《列》为近。《天问》《远游》凿空之谈，求女谬悠之语，庄语之不足，而继之以谐，于是思想之游戏，更为自由矣。变《三百篇》之体而为长句，变短什而为长篇，于是感情之发表，更为宛转矣。此皆古代北方文学之所未有，而其端自屈子开之。然所以驱使想象而成此大文学者，实由其北方之肫挚的性格。此庄周等之所以仅为哲学家，而周秦间之大诗人，不能不独数屈子也。

要之，诗歌者，感情的产物也。虽其中之想象的原质（即知力的原质），亦须有肫挚之感情为之素地，而后此原质乃显。故诗歌者，实北方文学之产物，而非儇薄冷淡之夫所能托也。观后世之诗人，若渊明，若子美，无非受北方学派之影响者，岂独一屈子然哉！岂独一屈子然哉！

载1906年《教育世界》

人间嗜好之研究

活动之不能以须臾息者，其唯人心乎？夫人心本以活动为生活者也。心得其活动之地，则感一种之快乐，反是则感一种之苦痛。此种苦痛，非积极的苦痛，而消极的苦痛也。易言以明之，即空虚的苦痛也。空虚的苦痛，比积极的苦痛，尤为人所难堪。何则？积极的苦痛，犹为心之活动之一种，故亦含快乐之原质；而空虚的苦痛，则并此原质而无之故也。人与其无生也，不如恶生；与其不活动也，不如恶活动。此生理学及心理学上之二大原理，不可诬也。人欲医此苦痛，于是用种种之方法，在西人名之曰 Tokill time；而在我中国，则名之曰消遣。其用语之确当，均无以易，一切嗜好由此起也。

然人心之活动亦夥矣。食色之欲，所以保存个人及其种姓之生活者，实存于人心之根柢，而时时要求其满足。然满足此欲，固非易易也，于是或劳心，或劳力，戚戚睊睊，以求其生活之道。如此者，吾人谓之曰工作。工作之为一种积极的苦痛，吾人之所经验也。且人固不能终日从事于工作，岁有闲月，月有闲日，日有闲时，殊如生活之道不苦者。其工作愈简，其闲暇愈多，此时虽乏积极的苦痛，然以空虚之消极的苦痛代之。故苟足以供其心之活动者，虽无益于生活之事业，亦骛而趋之。如此者，吾人谓之曰嗜好。虽嗜好之高尚卑劣万有不齐，然其所以慰空虚之苦痛而与人心以活动者，其揆一也。

嗜好之为物，本所以医空虚的苦痛者，故皆与生活无直接之关系，然若谓其与生活之欲无关系，则甚不然者也。人类之于生活，既竞争而得胜矣，于是此根本之欲复变而为势力之欲，而务使其物质上与精神上之生活超于他人之生活之上。此势力之欲，即谓之生活之欲之苗裔无不可也。人之一生，唯由此二欲以策其知力及体力，而使之活动。其直接为生活故而活动时，谓之曰工作；或其势力有余，而唯为活动故而活动时，谓之曰嗜好。故嗜好之为物，虽非表直接之势力，亦必为势力之小影，或足以遂其势力之欲者，始足以动人心，而医其空虚的苦痛。不然，欲其嗜之也难矣。今吾人当进而研究种种之嗜好，且示其与生活及势力之欲之关系焉。

嗜好中之烟酒二者，其令人心休息之方面多，而活动之方面少。易言以明之，此二者之效，宁在医积极的苦痛，而不在医消极的苦痛。又此二者，于心理上之结果外，兼有生理上之结果，而吾人对此二者之经验亦甚少，故不具论。今先论博弈。夫人生者，竞争之生活也。苟吾人竞争之势力无所施于实际，或实际上既竞争而胜矣，则其剩余之势力，仍不能不求发泄之地。博弈之事，正于抽象上表出竞争之世界，而使吾人于此满足其势力之欲者也。且博弈以但表普遍的抽象的竞争，而不表所竞争者之为某物（故为金钱而赌博者不在此例），故吾人竞争之本能，遂于此以无嫌疑、无忌惮之态度发表之，于是得窥人类极端之利己主义。至实际之人生中，人类之竞争虽无异于博弈，然能如是之磊磊落落者鲜矣。且博与弈之性质，亦自有辨。此二者虽皆世界竞争之小影，而博又为运命之小影。人以执著于生活故，故其知力常明于无望之福，而暗于无望之祸。而于赌博之中，此无望之福时时有可能性，在以博之胜负，人力与运命二者决之；而弈之胜负，则全由人力决之故也。又但就人力言，则博者悟性上之竞争，而弈者理性上之竞争也。长于悟性者，其嗜博也甚于弈；长于理性者，其嗜弈也愈于博。嗜博者之性格，机警也，脆弱也，依赖也；嗜弈者之性格，谨慎也，坚忍也，独立也。譬之治生，前者如朱公居陶，居与时逐；后者如任氏之折节为俭，尽力田畜，亦致千金。人亦各随其性之所近，而欲于竞争之中，发见其势力之优胜之快乐耳。吾人对博弈之嗜好，殆非此无以解释之也。

若夫宫室、车马、衣服之嗜好，其适用之部分属于生活之欲，而其妆饰之部分则属于势力之欲。驰骋、田猎、跳舞之嗜好，亦此势力之欲之所发表也。常人之对书画、古物也亦然。彼之爱书籍，非必爱其所含之真理也；爱书画古玩，非必爱其形式之优美古雅也。以多相炫，以精相炫，以物之稀而难得也相炫。读书者亦然，以博相炫。一言以蔽之，炫其势力之胜于他人而已矣。常人对戏剧之嗜好，亦由势力之欲出。先以喜剧（即滑稽剧）言之。夫能笑人者，必其势力强于被笑者也，故笑者实吾人一种势力之发表。然人于实际之生活中，虽遇可笑之事，然非其人为我所素狎者，或其位置远在吾人之下者，则不敢笑。独于滑稽剧中，以其非事实故，不独使人能笑，而且使人敢笑，此即对喜剧之快乐之所存也。悲剧亦然。霍雷士曰："人生者，自观之者言之，则为一喜剧；自感之者言之，则又为一悲剧也。"自吾人思之，则人生之运命固无以异于悲剧，然人当演此悲剧时，亦俯首杜口，或故示整暇，汶汶而过耳。欲如悲剧中之主人公，且演且歌以诉其胸中之苦痛者，又谁听之，而谁怜之乎？夫悲剧中之人物之无势力之可言，固不待论。然敢鸣其苦痛者与不敢鸣其痛苦者之间，其势力之大小必有辨矣。夫人生中固无独语之事，而戏曲则以许独语故，故人生中久压抑之势力独于其中筐倾而篋倒之，故虽不解美术上之趣味者，亦于此中得一种势力之快乐。普通之人之对戏曲之嗜好，亦非此不足以解释之矣。

若夫最高尚之嗜好，如文学、美术，亦不外势力之欲之发表。希尔列尔既谓儿童之游戏存于用剩余之势力矣，文学、美术亦不过成人之精神的游戏，故其渊源之存于剩余之势力，无可疑也。且吾人内界之思想感情，平时不能语诸人或不能以庄语表之者，于文学中以无人与我一定之关系故，故得倾倒而出之。易言以明之，吾人之势力所不能于实际表出者，得以游戏表出之是也。若夫真正之大诗人，则又以人类之感情为其一己之感情。彼其势力充实，不可以已，遂以发表自己之感情为满足，更进而欲发表人类全体之感情。彼之著作，实为人类全体之喉舌，而读者于此得闻其悲欢啼笑之声，遂觉自己之势力亦为之发扬而不能自已。故自文学言之，创作与赏鉴之二方面，亦皆以此势力之欲为之根柢也。文学既然，他美术何独不然？岂独美术而已，哲学与科学亦然。柏庚有言曰知识即势力也，则一切知识之欲，虽谓之即势力之欲，亦无不可。彼等以其势力卓越于常人故，故不满足于现在之势力，而欲得永远之势力。虽其所用以得势力之手段不同，然其目的固无以异。夫然，始足以活动人心，而医其空虚的苦痛。以人心之根柢实为一生活之欲，若势力之欲，故苟不足以遂其生活或势力者，决不能使之活动。以是观之，则一切嗜好虽有高卑优劣之差，固无非势力之欲之所为也。

然余之为此论，固非使文学、美术之价值下齐于博弈也。不过自心理学言之，则此数者之根柢皆存于势力之欲，而其作用皆在使人心活动，以疗其空虚之苦痛。以此所论者乃事实之问题，而非价值之问题故也。若欲抑制卑劣之嗜好，不可不易之以高尚之嗜好，不然，则必有溃决之一日。此又从人心活动之原理出，有教育之责及欲教育自己者，不可不知所注意焉。

载 1907 年《教育世界》

文学小言

一

昔司马迁推本汉武时学术之盛，以为利禄之途使然。余谓一切学问皆能以利禄劝，独哲学与文学不然。何则？科学之事业，皆直接间接以厚生利用为旨，古未有与政治及社会上之兴味相刺谬者也。至一新世界观与新人生观出，则往往与政治及社会上之兴味不能相容。若哲学家而以政治及社会之兴味为兴味，而不顾真理之如何，则又决非真正之哲学。以欧洲中世哲学之以辩护宗教为务者，所以蒙极大之污辱，而叔本华所以痛斥德意志大学之哲学者也。文学亦然。餔餟的文学，决非真正之文学也。

二

文学者，游戏的事业也。人之势力用于生存竞争而有余，于是发而为游戏。婉娈之儿，有父母以衣食之，以卵翼之，无所谓争存之事也。其势力无所发泄，于是作种种之游戏。逮争存之事亟，而游戏之道息矣。唯精神上之势力独优，而又不必以生事为急者，然后终身得保其游戏之性质。而成人以后，又不能以小儿之游戏为满足，于是对其自己之感情及所观察之事物而摹写之，咏叹之，以发泄所储蓄之势力。故民族文化之发达，非达一定之程度，则不能有文学；而个人之汲汲于争存者，决无文学家之资格也。

三

人亦有言：名者利之宾也。故文绣的文学之不足为真文学也，与铺啜的文学同。古代文学之所以有不朽之价值者，岂不以无名之见者存乎？至文学之名起，于是有因之以为名者，而真正文学乃复托于不重于世之文体以自见。逮此体流行之后，则又为虚车矣。故模仿之文学，是文绣的文学与铺啜的文学之记号也。

四

文学中有二原质焉：曰景，曰情。前者以描写自然及人生之事实为主，后者则吾人对此种事实之精神的态度也。故前者客观的，后者主观的也；前者知识的，后者感情的也。自一方面言之，则必吾人之胸中洞然无物，而后其观物也深，而其体物也切；即客观的知识，实与主观的感情为反比例。自他方面言之，则激烈之感情，亦得为直观之对象、文学之材料；而观物与其描写之也，亦有无限之快乐伴之。要之，文学者，不外知识与感情交代之结果而已。苟无锐敏之知识与深邃之感情者，不足与于文学之事。此其所以但为天才游戏之事业，而不能以他道劝者也。

五

古今之成大事业大学问者，不可不历三种之阶级："昨夜西风凋碧树，独上高楼，望尽天涯路"（晏同叔《蝶恋花》），此第一阶级也；"衣带渐宽终不悔，为伊消得人憔悴"（欧阳永叔《蝶恋花》），此第二阶级也；"众里寻他千百度，回头蓦见，那人正在，灯火阑珊处"（辛幼安《青玉案》），此第三阶级也。未有不阅第一第二阶级，而能遽跻第三阶级者。文学亦然。此有文学上之天才者，所以又需莫大之修养也。

六

三代以下之诗人，无过于屈子、渊明、子美、子瞻者。此四子者苟无文学之天才，其人格亦自足千古。故无高尚伟大之人格，而有高尚伟大之文学者，殆未之有也。

七

天才者，或数十年而一出，或数百年而一出，而又须济之以学问，帅之以德性，始能产真正之大文学。此屈子、渊明、子美、子瞻等所以旷世而不一遇也。

八

"燕燕于飞，差池其羽。""燕燕于飞，颉之颃之。""睍睆黄鸟，载好其音。”“昔我往矣，杨柳依依。”诗人体物之妙，侔于造化，然皆出于离人、孽子、征夫之口，故知感情真者，其观物亦真。

九

“驾彼四牡，四牡项领。我瞻四方，蹙蹙靡所骋。”以《离骚》《远游》数千言言之而不足者，独以十七字尽之，岂不诡哉！然以讥屈子之文胜，则亦非知言者也。

十

屈子感自己之感，言自己之言者也。宋玉、景差感屈子之所感，而言其所言；然亲见屈子之境遇与屈子之人格，故其所言，亦殆与言自己之言无异。贾谊、刘向其遇略与屈子同，而才则逊矣。王叔师以下，但袭其貌而无真情以济之。此后人之所以不复为楚人之词者也。

十一

屈子之后，文学上之雄者，渊明其尤也。韦、柳之视渊明，其如贾、刘之视屈子乎？彼感他人之所感，而言他人之所言，宜其不如李、杜也。

十二

宋以后之能感自己之感，言自己之言者，其唯东坡乎？山谷可谓能言其言矣，未可谓能感所感也。遗山以下亦然。若国朝之新城，岂徒言一人之言已哉？所谓“莺偷百鸟声”者也。

十三

诗至唐中叶以后，殆为羔雁之具矣。故五季、北宋之诗（除一二大家外）无可观者，而词则独为其全盛时代。其诗词兼擅如永叔、少游者，皆诗不如词远甚。以其写之于诗者，不若写之于词者之真也。至南宋以后，词亦为羔雁之具，而词亦替矣（除稼轩一人外）。观此足以知文学盛衰之故矣。

十四

上之所论，皆就抒情的文学言之（《离骚》、诗词皆是）。至叙事的文学（谓叙事传、史诗、戏曲等，非谓散文也），则我国尚在幼稚之时代。元人杂剧辞则美矣，然不知描写人格为何事。至国朝之《桃花扇》则有人格矣，然他戏曲则殊不称是。要之，不过稍有系统之词，而并失词之性质者也。以东方古文学之国，而最高之文学无一足以与西欧匹者，此则后此文学家之责矣。

十五

抒情之诗，不待专门之诗人而后能之也。若夫叙事，则其所需之时日长，而其所取之材料富，非天才而又有暇日者不能。此诗家之数之所不可更仆数，而叙事文学家殆不能及百分之一也。

十六

《三国演义》无纯文学之资格，然其叙关壮缪之释曹操，则非大文学家不办。《水浒传》之写鲁智深，《桃花扇》之写柳敬亭、苏昆生，彼其所为固毫无意义，然以其不顾一己之利害，故犹使吾人生无限之兴味，发无限之尊敬，况于观壮缪之矫矫者乎？若此者，岂真如汗德所云，实践理性为宇宙人生之根本欤？抑与现在利己之世界相比较，而益使吾人兴无涯之感也？则选择戏曲、小说之题目者，亦可以知所去取矣。

十七

吾人谓戏曲、小说家为专门之诗人，非谓其以文学为职业也。以文学为职业，的文学也。职业的文学家，以文学得生活；专门之文学家，为文学而生活。今铺啜的文学之途，盖已开矣。吾宁闻征夫思妇之声，而不屑使此等文学嚣然污吾耳也。

载 1906 年《教育世界》

第四辑 哲学辨惑

哲学辨惑

甚矣名之不可以不正也！观去岁南皮尚书之陈学务摺，及管学大臣张尚书之复奏摺，一虞哲学之有流弊，一以名学易哲学，于是海内之士颇有以哲学为诟病者。夫哲学者，犹中国所谓理学云尔。艾儒略《西学发凡》有“费禄琐非亚”之语，而未译其义。“哲学”之语实自日本始。日本称自然科学曰“理学”，故不译“费禄琐非亚”曰理学，而译曰哲学。我国人士骇于其名，而不察其实，遂以哲学为诟病，则名之不正之过也。今辨其惑如下。

一　哲学非有害之学

今之诟病哲学者，岂不曰自由平等民权之说由哲学出，今弃绝哲学，则此等邪说可以熄乎？夫此等说之当否，姑置不论。夫哲学中亦非无如此之说，然此等思想，于哲学中不占重要之位置。霍布士之绝对国权论，与福禄特尔、卢骚之绝对民权论，皆为哲学说之一。今以福禄特尔、卢骚之故而废哲学，何不一思霍布士之说乎？且古之时有倡言民权者矣，孟子是也。今若举天下之言民权，而归罪于孟子，废《孟子》而不立诸学官，斯亦过矣！欲废哲学者，何以异于是？且今之言自由平等，言革命者，果皆自哲学上之研究出欤？抑但习闻他人之说而称道之欤？夫周秦与宋代，中国哲学最盛之时也，而君主之威权不因之而稍替。明祖之兴，而李自成、洪秀全之乱，宁皆有哲学家说以鼓舞之欤？故不研究哲学则已，苟研究哲学，则必博稽众说而唯真理之是从。其视今日浅薄之革命家，方鄙弃之不暇，而又奚惑焉？则竟以此归狱于哲学者，非也。且自由平等说非哲学之原理，乃法学、政治学之原理也。今不以此等说废法学、政治学，何独至于哲学而废之？此余所不解者一也。

二 哲学非无益之学

于是说者曰：哲学即令无害，决非有益，非叩虚课寂之谈，即骛广志荒之论。此说不独我国为然，虽东西洋亦有之。夫彼所谓无益者，岂不以哲学之于人生日用之生活无关系乎？夫但就人生日用之生活言，则岂徒哲学为无益，物理学、化学、博物学，凡所谓纯粹科学，皆与吾人日用之生活无丝毫之关系。其有实用于人者，不过医、工、农等学而已。然人之所以为人者，岂徒饮食男女，芸芸以生，厌厌以死云尔哉！饮食男女，人与禽兽之所同，其所以异于禽兽者，则岂不以理性乎哉？宇宙之变化，人事之错综，日夜相迫于前，而要求吾人之解释，不得其解，则心不宁。叔本华谓人为形而上学之动物，洵不诳也。哲学实对此要求而与吾人以解释。夫有益于身者与有益于心者之孰轩孰轾，固未易论定者。巴尔善曰："人心一日存，则哲学一日不亡。"使说者而非人则已，说者而为人，则已于冥冥之中，认哲学之必要，而犹必诋之为无用，此其不可解者二也。

三　中国现时研究哲学之必要

尤可异者，则我国上下，日日言教育，而不喜言哲学。夫既言教育，则不得不言教育学；教育学者实不过心理学、伦理学、美学之应用。心理学之为自然科学而与哲学分离，仅曩日之事耳；若伦理学与美学，则尚俨然为哲学中之二大部。今夫人之心意，有知力，有意志，有感情。此三者之理想，曰真，曰善，曰美。哲学实综合此三者，而论其原理者也。教育之宗旨，亦不外造就真善美之人物，故谓教育学上之理想即哲学上之理想，无不可也。试读西洋之哲学史、教育学史，哲学者而非教育学者有之矣，未有教育学者而不通哲学者也。不通哲学而言教育，与不通物理、化学而言工学，不通生理学、解剖学而言医学何以异？今日日言教育，言伦理，而独欲废哲学，此其不可解者三也。

四　哲学为中国固有之学

今之欲废哲学者，实坐不知哲学为中国固有之学故。今姑舍诸子不论，独就六经与宋儒之说言之。夫六经与宋儒之说，非著于功令而当时所奉为正学者乎？周子“太极”之说，张子“正蒙”之论，邵子之《皇极经世》，皆深入哲学之问题。此岂独宋儒之说为然，六经亦有之。《易》之“太极”，《书》之“降衷”，《礼》之“中庸”，自说者言之，谓之非虚非寂得乎？今欲废哲学，则六经及宋学皆在所当废，此其所不解者四也。

五　研究西洋哲学之必要

于是说者曰：哲学既为中国所固有，则研究中国之哲学足矣，奚以西洋哲学为？此又不然。余非谓西洋哲学之必胜于中国，然吾国古书，大率繁散而无纪，残缺而不完，虽有真理，不易寻绎，以视西洋哲学之系统灿然、步伐严整者，其形式上之孰优孰劣，固自不可掩也。且今之言教育学者，将用《论语》《学记》作课本乎？抑将博采西洋之教育学以充之也？于教育学然，于哲学何独不然？且欲通中国哲学，又非通西洋之哲学不易明也。近世中国哲学之不振，其原因虽繁，然古书之难解，未始非其一端也。苟通西洋之哲学，以治吾中国之哲学，则其所得当不止此。异日昌大吾国固有之哲学者，必在深通西洋哲学之人无疑也。今欲治中国哲学，而废西洋哲学，其不可解者五也。

余非欲使人人为哲学家，又非欲使人人研究哲学，但专门教育中，哲学一科必与诸学科并立，而欲养成教育家，则此科尤为要。吾国人士所以诟病哲学者，实坐不知哲学之性质之故，苟易其名曰理学，则庶可以息此争论哉！庶可以息此争论哉！

载 1903 年《教育世界》

释　理

昔阮文达公作《塔性说》，谓“翻译者但用典中‘性’字以当佛经无得而称之物，而唐人更以经中‘性’字当之”，力言翻译者遇一新义为古语中所无者，必新造一字，而不得袭用似是而非之古语。是固然矣。然文义之变迁，岂独在输入外国新义之后哉！吾人对种种之事物，而发见其公共之处，遂抽象之而为一概念，又从而命之以名；用之既久，遂视此概念为一特别之事物，而忘其所从出。如“理”之概念，即其一也。吾国语中“理”字之意义之变化，与西洋“理”字之意义之变化，若出一辙。今略述之如左：

（一）理字之语源

《说文解字》第一篇：“理，治玉也，从玉，里声。”段氏玉裁注：“《战国策》郑人谓玉之未理者为璞，是理为剖析也。”由此类推，而种种分析作用，皆得谓之曰理。郑玄《乐记》注：“理者，分也。”《中庸》所谓“文理密察”，即指此作用也。由此而分析作用之对象，即物之可分析而粲然有系统者，亦皆谓之理。《逸论语》曰：“孔子曰：美哉璠玙！远而望之，奂若也；近而视立，瑟若也。”“一则理胜，一则孚胜”，此从“理”之本义之动词，而变为名词者也。更推之而言他物，则曰“地理”(《易·系辞传》)，曰“腠理”(《韩非子》)，曰“色理”，曰“蚕理”，曰“箴理”(《荀子》)，就一切物而言之曰“条理”(《孟子》)。然则所谓“理”者，不过谓吾心分析之作用，及物之可分析者而已矣。

其在西洋各国语中，则英语之 Reason，与我国今日理字之义大略相同，而与法国语之 Raison，其语源同出于拉丁语之 Ratio。此语又自动词 Retus（思索之意）而变为名词者也。英语又谓推理之能力曰 Discourse，同时又用为言语之义。此又与意大利语之 Discorso 同出于拉丁语之 Discursus，与希腊语之 Logos 皆有言语及理性之两义者也。其在德意志语，则其表理性也曰 Vernunft，此由 Vernehmen 之语出，此语非但听字之抽象名词，而实谓知言语所传之思想者也。由此观之，古代二大国语及近世三大国语，皆以思索（分合概念之力）之能力，及言语之能力，即他动物之所无而为人类之独有者，谓之曰理性、Logos（希）、Ratio（拉）、Vernunft（德）、Raison（法）、Reason（英）。而从吾人理性之思索之径路，则下一判断，必不可无其理由。于是拉丁语之 Ratio、法语之 Raison、英语之 Reason 等，于理性外，又有理由之意义。至德语之 Vernunft 则但指理性，而理由则别以 Grunde 之语表之。吾国之理字，其义则与前者为近，兼有理性与理由之二义，于是理之解释，不得不分为广义的及狭义的二种。

（二）理之广义的解释

理之广义的解释，即所谓理由是也。天下之物，绝无无理由而存在者。其存在也，必有所以存在之故，此即物之充足理由也。在知识界，则既有所与之前提，必有所与之结论随之。在自然界，则既有所与之原因，必有所与之结果随之。然吾人若就外界之认识，而皆以判断表之，则一切自然界中之原因，即知识上之前提；一切结果，即其结论也。若视知识为自然之一部，则前提与结论之关系，亦得视为因果律之一种。故欧洲上古及中世之哲学，皆不区别此二者，而视为一物。至近世之拉衣白尼志始分晰之，而总名之曰充足理由之原则，于其《单子论》之小诗中，括之为公式曰："由此原则，则苟无必然，或不得不然之充足理由，则一切事实不能存在，而一切判断不能成立。"汗德亦从其说而立形式的原则与物质的原则之区别。前者之公式曰："一切命题，必有其论据。"后者之公式曰："一切事物，必有其原因。"其学派中之克珊范台尔更明言之曰："知识上之理由（论据）必不可与事实上之理由（原因）相混。前者属名学，后者属形而上学；前者思想之根本原则，后者经验之根本原则也。原因对实物而言，论据则专就吾人之表象言也。"至叔本华而复就充足理由之原则，为深邃之研究，曰："此原则就客观上言之，为世界普遍之法则；就主观上言之，乃吾人之知力普遍之形式也。"世界各事物，无不入此形式者，而此形式，可分为四种：一、名学上之形式。即从知识之根据之原则者，曰既有前提，必有结论。二、物理学上之形式。即从变化之根据之原则者，曰既有原因，必有结果。三、数学上之形式。此从实在之根据之原则者，曰一切关系，由几何学上之定理定之者，其计算之成绩不能有误。四、实践上之形式。曰动机既现，则人类及动物，不能不应其固有之气质，而为惟一之动作。此四者，总名之曰"充足理由之原则"。此四分法中，第四种得列诸第二种之形式之下，但前者就内界之经验言之，后者就外界之经验言之，此其所以异也。要知第一种之充足理由之原则，乃吾人理性之形式，第二种悟性之形式，第三种感性之形式也。此三种之公共之性质，在就一切事物而证明其所以然，及其不得不然。即吾人就所与之结局观之，必有其所以然之理由；就所与之理由观之，必有不得不然之结局。此世界中最普遍之法则也。而此原则所以为世界最普遍之法则者，则以其为吾人之知力之最普遍之形式故。陈北溪（淳）曰："理有确然不易的意。"临川吴氏（澄）曰："凡物必有所以然之故，亦必有所当然之则。所以然者理也，所当然者义也。"征之吾人日日之用语，所谓"万万无此理"，"理不应尔"者，皆指理由而言也。

（三）理之狭义的解释

理之广义的解释外，又有狭义的解释，即所谓理性是也。夫吾人之知识，分为二种：一直观的知识，一概念的知识也。直观的知识，自吾人之感性及悟性得之；而概念之知识，则理性之作用也。直观的知识，人与动物共之；概念之知识，则惟人类所独有。古人所以称人类为理性的动物，或合理的动物者，为此故也。人之所以异于动物，而其势力与忧患且百倍之者，全由于此。动物生活于现在，人则亦生活于过去及未来。动物但求偿其一时之欲，人则为十年百年之计。动物之动作，由一时之感觉决定之，人之动作，则决之于抽象的概念。夫然，故彼之动作，从豫定之计划而不为外界所动，不为一时之利害所摇，彼张目敛手，而为死后之豫备，彼藏其心于不可测度之地，而持之以归于邱墓。且对种种之动机而选择之者，亦惟人为能。何则？吾人惟有概念的知识，故将有为也，将有行也，必先使一切远近之动机，表之以概念，而悉现于意识，然后吾人得递验其力之强弱，而择其强者而从之；动物则不然，彼等所能觉者，现在之印象耳。惟现在之苦痛之恐怖心，足以束缚其情欲，逮此恐怖心久而成为习惯，遂永远决定其行为，谓之曰驯扰。故感与觉，人与物之所同；思与知，则人之所独也。动物以振动表其感情及性质，人则以言语传其思想，或以言语授揜盖之，故言语者，乃理性第一之产物，亦其必要之器官也。此希腊及意大利语中所以以一语表理性及言语者也。此人类特别之知力，通古今东西皆谓之曰“理性”，即指吾人自直观之观念中，造抽象之概念，及分合概念之作用。自希腊之伯拉图、雅里大德勒，至近世之洛克、拉衣白尼志，皆同此意。其始混用之者，则汗德也。汗德以理性之批评，为其哲学上之最大事业，而其对理性之概念，则有甚暧昧者。彼首分理性为纯粹及实践二种，纯粹理性，指知力之全体，殆与知性之意义无异。彼于《纯粹理性批评》之《绪论》中曰：“理性者，吾人知先天的原理的能力是也。”实践理性，则谓合理的意志之自律，自是“理性”二字，始有特别之意义，而其所谓纯粹理性中，又有狭义之理性。其下狭义理性之定义也，亦互相矛盾。彼于理性与悟性之别，实不能深知，故于《先天辨证论》中曰：“理性者，吾人推理之能力。”（《纯理批评》第五版三百八十六页）又曰：“单纯判断，则悟性之所为也。”（同，九十四页）叔本华于《汗德哲学之批评》中曰：“由汗德之意，谓若有一判断，而有经验的、先天的或超名学的根据，则其判断乃悟性之所为；如其根据而为名学的，如名学上之推理式等，则理性之所为也。”此外尚有种种之定义，其义各不同，其对悟性也亦然。要之，汗德以通常所谓理性者谓之悟性，而与理性以特别之意义，谓吾人于空间及时间中结合感觉以成直观者，感性之事；而结合直观而为自然界之经验者，悟性之事；至结合经验之判断，以为形而上学之知识者，理性之事也。自此特别之解释，而汗德以后之哲学家，遂以理性为吾人超感觉之能力，而能直知本体之世界及其关系者也。例如希哀林、海额尔之徒，乘云驭风而组织理性之系统，然于吾人之知力中果有此能力否，本体之世界果能由此能力知之否，均非所问也。至叔本华出，始严立悟性与理性之区别。彼于《充足理由》之论文中，证明直观中已有悟性之作用存。吾人有悟性之作用，斯有直观之世界，有理性之作用而始有概念之世界。故所谓理性者，不过制造概念及分合之之作用而已。由此作用，吾人之事业已足以远胜于动物。至超感觉之能力，则吾人所未尝经验也。彼于其《意志及观念之世界》及《充足理由之论文》中辨之累千万言，然后理性之概念灿然复明于世。孟子曰：“心之所同然者何也？谓理也，义也。”程子曰：“性即理也。”其对理之概念，虽于名学的价值外，更赋以伦理学的价值，然就其视理为心之作用时观之，固指理性而言者也。

（四）理之客观的假定

由上文观之，理之解释有广狭二义，广义之理是为理由，狭义之理则理性也。充足理由之原则，为吾人知力之普遍之形式，理性则知力作用之一种，故二者皆主观的而非客观的也。然古代心理上之分析未明，往往视理为客观上之物，即以为离吾人之知力而独立，而有绝对的实在性者也。如希腊古代之额拉吉来图，谓天下之物，无不生灭变化，独生灭循环之法则，乃永远不变者。额氏谓之曰“天运”，曰“天秩”，又曰“天理（Logos）”。至斯多噶派，更绍述此思想，而以指宇宙之本体，谓生产宇宙及构造宇宙之神，即普遍之理也。一面生宇宙之实质，而一面赋以形式，故神者，自其有机的作用言之，则谓之创造及指导之理；自其对个物言之，则谓之统辖一切之命；自其以普遍决定特别言之，则谓之序；自其有必然性言之，则谓之运。近世希腊哲学史家希尔列尔之言曰，由斯多噶派之意，则所谓天心、天理、天命、天运、天然、天则，皆一物也。故其所谓“理”，兼有理、法、命、运四义，与额拉吉来图同；但于开辟论之意义外，兼有实体论之意义，此其相异者也。希腊末期之斐洛，与近世之初之马尔白兰休，亦皆有此“理即神也”之思想。此理之自主观的意义，而变为客观的意义者也。更返而观吾中国之哲学，则理之有客观的意义，实自宋人始。《易·说卦传》曰：“将以顺性命之理。”固以理为性中之物。孟子亦既明言理为心之所同然矣。而程子则曰：“在物为理。”又曰：“万物各具一理，而万理同出一原。”此原之为心为物，程子不言，至朱子直言之曰：“盖人心之灵，莫不有知；而天下之物，莫不有理。惟于理有未穷，故其知有不尽。”至万物之有理，存于人心之有知，此种思想，固朱子所未尝梦见也。于是理之渊源，不得求诸外物，于是谓：“天地之间，有理有气。理也者，形而上之道也，生物之本也；气也者，形而下之器也，生物之具也。是以人物之生，必禀此理，然后有性；必禀此气，然后有形。”又曰：“天以阴阳五行化生万物，气以成形，而理亦附焉。”于是对周子之“太极”而与以内容曰：“‘太极’不过一个‘理’字。”万物之理，皆自此客观的大理出，故曰：“物物各具此理，而物物各异其用，然莫非理之流行也。”又《语类》云：“问天与命，性与理四者之别，天则就其自然者言之，命则就其流行而赋于物者言之，性则就其全体而万物所得以为生者言之，理则就其事事物物各有其则者言之。到得合而言之，则天即理也，命即性也，性即理也，是如此否？曰然。”故朱子之所谓理，与希腊斯多噶派之所谓理，皆预想一客观的理，存于生天、生地、生人之前，而吾心之理，不过其一部分而已。于是理之概念，自物理学上之意义出，至宋以后，而遂得形而上学之意义。

（五）理之主观的性质

如上所述，理者，主观上之物也。故对朱子之实在论，而有所谓观念论者起焉。夫孟子既以理为心之所同然，至王文成则明说之曰：“夫物理不外于吾心，外吾心而求物理，无物理矣。遗物理而求吾心，吾心又何物？”我国人之说理者，未有深切著明如此者也。其在西洋，则额拉吉来图及斯多噶派之理说，固为今日学者所不道；即充足理由原则之一种，即所谓因果律者，自雅里大德勒之范畴说以来，久视为客观上之原则。然希腊之怀疑派驳之于先，休蒙论之于后，至汗德、叔本华，而因果律之有主观的性质，遂为不可动之定论。休蒙谓因果之关系，吾人不能直观之，又不能证明之者也。凡吾人之五官所得直观者，乃时间上之关系，即一事物之续他事物而起之事实是也。吾人解此连续之事物为因果之关系，此但存于吾人之思索中，而不存于事物。何则？吾人于原因之观念中，不能从名学上之法则而演绎结果之观念，又结果之观念中，亦不含原因之观念，故因果之关系，决非分析所能得也。其所以有因果之观念者，实由观念联合之法则而生，即由观念之互相连续者，屡反复于吾心，于是吾人始感其间有必然之关系，遂疑此关系亦存于客观上之外物。易言以明之，即自主观上之必然的关系，转而视为客观上之必然的关系，此因果之观念之所由起也。汗德力拒此说，而以因果律为悟性先天之范畴，而非得于观念联合之习惯；然谓宇宙不能赋吾心以法则，而吾心实与宇宙以法则，则其视此律为主观的而非客观的，实与休蒙同也。此说至叔本华而更精密证明之。叔氏谓吾人直观时，已有悟性（即自果推因之作用）之作用行乎其间。当一物之呈于吾前也，吾人所直接感之者，五官中之感觉耳。由此主观上之感觉，进而求其因于客观上之外物，于是感觉遂变而为直观，此因果律之最初之作用也。由此主观与客观间之因果之关系，而视客观上之外物，其间亦皆有因果之关系，此于先天中预定之者也。而此先天中之所预定，所以能于后天中证明之者，则以此因果律乃吾人悟性之形式，而物之现于后天中者，无不入此形式故。其《充足理由》论文之所陈述，实较之汗德之说更为精密完备也。夫以充足理由原则中之因果律，即事实上之理由，犹全属吾人主观之作用，况知识上之理由，及吾人知力之一种之理性乎！要之，以理为有形而上学之意义者，与《周易》及毕达哥拉斯派以数为有形而上学之意义同，自今日视之，不过一幻影而已矣。

由是观之，则所谓理者，不过理性、理由二义，而二者皆主观上之物也。然则古今东西之言理者，何以附以客观的意义乎？

曰：此亦有所自。盖人类以有概念之知识，故有动物所不能者之利益，而亦陷于动物不能陷之误谬。夫动物所知者，个物耳。就个物之观念，但有全偏明昧之别，而无正误之别。人则以有概念，故从此犬彼马之个物之观念中，抽象之而得“犬”与“马”之观念；更从犬、马、牛、羊及一切跂行喙息之观念中，抽象之而得“动物”之观念；更合之植物、矿物而得“物”之观念。夫所谓“物”，皆有形质可衡量者也。而此外尚有不可衡量之精神作用，而人之抽象力进而不已，必求一语以赅括之，无以名之，强名之曰“有”。然离心与物之外，非别有所谓“有”也；离动、植、矿物以外，非别有所谓“物”也；离犬、马、牛、羊及一切跂行喙息之属外，非别有所谓“动物”也；离此犬彼马之外，非别有所谓“犬”与“马”也。所谓马者，非此马即彼马，非白马即黄马、骊马，如谓个物之外，别有所谓马者，非此非彼，非黄非骊非他色，而但有马之公共之性质，此亦三尺童子之所不能信也。故所谓“马”者，非实物也，概念而已矣。而概念之不甚普遍者，其离实物也不远，故其生误解也不多。至最普遍之概念，其初固亦自实物抽象而得，逮用之既久，遂忘其所自出，而视为表特别之一物，如上所述“有”之概念是也。夫离心物二界，别无所谓“有”，然古今东西之哲学，往往以“有”为有一种之实在性，在我中国则谓之曰太极，曰玄，曰道；在西洋则谓之曰神。及传衍愈久，遂以为一自证之事实，而若无待根究者，此正柏庚所谓“种落之偶像”，汗德所谓“先天之幻影”。人而不求真理则已，人而唯真理之是求，则此等谬误，不可不深察而明辨之也。理之概念，亦岂异于此！其在中国语中，初不过自物之可分析而有系统者，抽象而得此概念，辗转相借，而遂成朱子之理即太极说；其在西洋，本但有理由及理性之二义，辗转相借，而前者生斯多噶派之宇宙大理说，后者生汗德以降之超感的理性说，所谓由灯而之槃，由烛而之钥，其去理之本义，固已远矣。此无他，以理之一语为不能直观之概念，故种种误谬，得附此而生也。而所谓太极，所谓宇宙大理，所谓超感的理性，不能别作一字，而必借理字以表之者，则又足以证此等观念之不存于直观之世界，而惟寄生于广莫暗昧之概念中。易言以明之，不过一幻影而已矣。故为之考其语源，并其变迁之迹，且辨其性质之为主观的而非客观的。世之好学深思之君子，其亦有取于此欤？

由上文观之，则理之意义，以理由而言，为吾人知识之普遍之形式；以理性而言，则为吾人构造概念及定概念间之关系之作用，而知力之一种也。故理之为物，但有主观的意义，而无客观的意义。易言以明之，即但有心理学上之意义，而无形而上学上之意义也。然以理性之作用，为吾人知力作用中之最高者，又为动物之所无而人之所独有，于是但有心理学上之意义者，于前所述形而上学之意义外，又有伦理学上之意义。此又中外伦理学之所同，而不可不深察而明辨之者也。

理之有伦理学上之意义，自《乐记》始。《记》曰："人生而静，天之性也。感于物而动，性之欲也。物至知知，然后好恶形焉。好恶无节于内，知诱于外，不能反躬，天理灭矣。夫物之感人无穷，而人之好恶无节，则是物至而人化物也。人化物也者，灭天理而穷人欲者也。"此天理对人欲而言，确有伦理上之意义。然则所谓天理果何物欤？案《乐记》之意，与《孟子》小体大体之说极相似。今援《孟子》之说以解之曰："耳目之官不思，而蔽于物，物交物，则引之而已矣。心之官则思，思则得之，不思则不得也。此天之所以与我者，先立乎其大者，则其小者不能夺也。”由此观之，人所以引于物者，乃由不思之故。而思（定概念之关系）者，正理性之作用也。然则《乐记》之所谓天理，固指理性言之。然理性者知力之一种，故理性之作用，但关于真伪，而不关于善恶。然在古代，真与善之二概念之不相区别，故无足怪也。至宋以降，而理欲二者，遂为伦理学上反对之二大概念。程子曰：“人心莫不有知，蔽于人欲，则亡天理矣。”上蔡谢氏曰：“天理与人欲相对，有一分人欲，即灭却一分天理；存一分天理，即胜得一分人欲。”于是理之一字，于形而上学之价值（实在）外，兼有伦理学上之价值（善）。其间惟朱子与国朝婺源戴氏之说，颇有可味者。朱子曰：“有个天理，便有个人欲。盖缘这个天理，须有个安顿处，才安顿得不恰好，便有人欲出来。”又曰：“天理人欲，分数有多少。天理本多，人欲也便是天理里面做出来；虽是人欲，人欲中自有天理。”戴东原氏之意与朱子同，而颠倒其次序而言之曰：“理也者，情之不爽失也。”又曰：“天理云者，言乎自然之分理也。自然之分理，以我之情，絜人之情，而无不得其平是也。”朱子所谓“安顿得好”，与戴氏所谓“絜人之情而无不得其平”者，则其视理也，殆以“义”字、“正”字、“恕”字解之。于是“理”之一语，又有伦理学上之价值。其所异者，惟朱子以理为人所本有，而安顿之不恰好者，则谓之欲；戴氏以欲为人所本有，而安顿之使无爽失者理也。

其在西洋之伦理学中亦然。柏拉图分人性为三品：一曰嗜欲，二曰血气，三曰理性。而以节制嗜欲与血气，而成克己与勇毅二德为理性之任，谓理性者，知识与道德所税驾之地也。厥后斯多噶派亦以人性有理性及感性之二元质，而德之为物，只在依理而克欲。故理性之语，亦大染伦理学之色彩。至近世汗德而遂有实践理性之说，叔本华于其《汗德哲学批评》中，极论之曰："汗德以爱建筑上之配偶，故其说纯粹理性也，必求其匹偶。"而说实践理性，而雅里大德勒之 Nous praktikos 与烦琐哲学之 Intellectus practicus（皆实践知力之义）二语，已为此语之先导，然其意与二者大异。彼以理性为人类动作之伦理的价值之所由生，谓一切人之德性及高尚神圣之行，皆由此出，而无待于其他。故由彼之意，则合理之动作，与高尚神圣之动作为一，而私利惨酷卑陋之动作，但不合理之动作而已。然不问时之古今、地之东西，一切国语皆区别此二语（理性与德性）；即在今日，除少数之德意志学者社会外，全世界之人，犹执此区别。夫欧洲全土所视为一切德性之模范者，非基督教之开祖之生活乎？如谓彼之生活为人类最合理之生活，彼之教训示人以合理的生活之道，则人未有不议其大不敬者也。今有人焉，从基督之教训，而不计自己之生活，举其所有以拯无告之穷民，而不求其报，如此者，人固无不引而重之，然孰敢谓其行为为合理的乎？或如阿诺尔特以无上之勇，亲受敌人之刃，以图其国民之胜利者，孰得谓之合理的行为乎？又自他方面观之，今有一人焉，自幼时以来，深思远虑，求财产与名誉，以保其一身及妻子之福祉。彼舍目前之快乐，而忍社会之耻辱，不寄其心于美学及哲学等无用之事业，不费其日于不急之旅行，而以精确之方法，实现其身世之目的，彼之生涯，虽无害于世，然终其身无一可褒之点。然孰不谓此种俗子，有非常之推理力乎？又设有一恶人焉，以卑劣之策猎取富贵，甚或盗国家而有之，然后以种种诡计，蚕食其邻国，而为世界之主。彼其为此也，坚忍果戾而不夺于正义及仁爱之念，有妨彼之计划者，翦之、除之、屠之、刈之，而无所顾，驱亿万之民于刀锯缧绁而无所悯，然且厚酬其党类及助己者而无所吝，以达其最大之目的。孰不谓彼之举动，全由理性出者乎？当其设此计划也，必须有最大之悟性，然执行此计划，必由理性之力。此所谓实践理性者非欤？将谨慎与精密，深虑与先见，马启万里所以描写君主者，果不合理的欤？夫人知其不然也，要知大恶之所由成，不由于其乏理性，而反由与理性同盟之故。故汗德以前之作者，皆以良心为伦理的冲动之源，以与理性相对立。卢梭于其《哀美耳》中，既述二者之区别；即雅里大德勒亦谓德性之根源，不存于人性之合理的部分，而存于其非理的部分。基开碌所谓理性者，罪恶必要之手段，其意亦谓此也。何则？理性者，吾人构造概念之能力也。而概念者，乃一种普遍而不可直观之观念，而以言语为之记号，此所以使人异于禽犬，而使于圆球上占最优之位置者也。盖禽犬常为现在之奴隶，而人类则以有理性之故，能合人生及世界之过去未来而统计之，故能不役于现在，而作有计划有系统之事业，可以之为善，亦可以之为恶。而理性之关于行为者，谓之实践理性，故所谓实践理性者，实与拉丁语之 Prudentra（谨慎小心）相似，而与伦理学上之善，无丝毫之关系者也。

吾国语中之理字，自宋以后，久有伦理学上之意义，故骤闻叔本华之说，固有未易首肯者。然理之为义，除理由、理性以外，更无他解。若以理由言，则伦理学之理由，所谓动机是也。一切行为，无不有一物焉为之机括，此机括或为具体的直观，或为抽象的概念，而其为此行为之理由则一也。由动机之正否，而行为有善恶，故动机虚位也，非定名也。善亦一动机，恶亦一动机，理性亦然。理性者，推理之能力也。为善由理性，为恶亦由理性，则理性之但为行为之形式，而不足为行为之标准，昭昭然矣。惟理性之能力，为动物之所无，而人类之所独有，故世人遂以形而上学之所谓真，与伦理学之所谓善，尽归诸理之属性；不知理性者，不过吾人知力之作用，以造概念，以定概念之关系，除为行为之手段外，毫无关于伦理上之价值。其所以有此误解者，由理之一字，乃一普遍之概念故，此又前篇之所极论而无待赘述者也。

载 1904 年《教育世界》

原　命

我国哲学上之议论，集于性与理二字，次之者命也。命有二义：通常之所谓命，《论语》所谓“死生有命”是也；哲学上之所谓命，《中庸》所谓“天命之谓性”是也。命之有二义，其来已古，西洋哲学上亦有此二问题。其言祸福寿夭之有命者，谓之定命论（Fatalism）；其言善恶贤不肖之有命，而一切动作皆由前定者，谓之定业论（Determinism）。而定业论与意志自由论之争，尤为西洋哲学上重大之事实，延至今日，而尚未得最终之解决。我国之哲学家除墨子外，皆定命论者也。然遽谓之定业论者，则甚不然。古代之哲学家中，今举孟子以代表之。孟子之为持定命论者，而兼亦持意志自由论，得由下二章窥之。其曰：

> 求则得之，舍则失之，是求有益于得也，求在我者也。求之有道，得之有命，是求无益于得也，求在外者也。

又曰：

> 口之于味也，目之于色也，耳之于声也，鼻之于臭也，四肢之于安佚也，性也，有命焉，君子弗谓性也。

仁之于父子也，义之于君臣也，礼之于宾主也，智之于贤者也，圣人之于天道也，命也，有性焉，君子弗谓命也。

前章之所谓命，即“死生有命”之命，后章之命，与“天命之谓性”之命略同，而专指气质之清浊而言之。其曰“命也，有性焉，君子不谓命也”，则孟子之非定业论者，昭昭然矣。至宋儒亦继承此思想，今举张横渠之言以代表之。张子曰：

形而后有气质之性，善反之则天地之性存焉。故气质之性，君子有弗性焉。

（《正蒙·诚明篇》）

通观我国哲学上，实无一人持定业论者，故其昌言意志自由论者，亦不数数觏也。然我国伦理学无不预想此论者，此论之果确实与否，正吾人今日所欲研究者也。

我国之言命者，不外定命论与非定命论二种。二者于哲学上非有重大之兴味，故可不论。又我国哲学上无持定业论者，其他经典中所谓命，又与性字、与理字之义相近。朱子所谓：“天则就其自然者言之，命则就其流行而赋于物者言之，性则就其全体而万物所得以为生者言之，理则就其事事物物各有其则者言之。到得合而言之，则天即理也，命即性也，性即理也。”而二者之说，已见于余之《释理》《论性》二篇，故亦可不论。今转而论西洋哲学上与此相似之问题，即定业论与自由意志论之争，及其解决之道，庶于吾国之性命论上，亦不无因之明晰云尔。

定业论者之说曰：吾人之行为，皆为动机所决定。虽吾人有时于二行为间，或二动机间，若能选择其一者，然就实际言之，不过动机之强者，制动机之弱者，而己之选择作用无与焉。故吾人行为之善恶，皆必然的。因之吾人品性之善恶，亦必然的，而非吾人自由所为也。意志自由论反是，谓吾人于二动机间，有自由之选择力，而为一事与否，一存于吾人之自由，故吾人对自己之行为及品性，不能不自负其责任。此二者之争，自希腊以来，永为哲学上之题目。汗德《纯理批评》之第三《安梯诺朱》中所示正理及反理之对立，实明示此争论者也。

此二论之争论而不决者，盖有由矣。盖从定业论之说，则吾人对自己之行为，无丝毫之责任，善人不足敬，而恶人有辞矣。从意志自由论之说，则最普遍最必然之因果律，为之破灭，此又爱真理者之所不任受也。于是汗德始起而综合此二说曰：在现象之世界中，一切事物，必有他事物以为其原因，而此原因复有他原因以为之原因，如此递衍，以至于无穷，无往而不发见因果之关系。故吾人之经验的品性中，在在为因果律所决定，故必然而非自由也。此则定业论之说，真也。然现象之世界外，尚有本体之世界，故吾人经验的品性外，亦尚有睿智的品性，而空间时间及因果律，只能应用于现象之世界，本体之世界则立于此等知识之形式外。故吾人之睿智的品性，自由的非必然的也。此则意志自由论之说，亦真也。故同一事实，自现象之方面言之，则可谓之必然，而自本体之方面言之，则可谓之自由。而自由之结果，得现于现象之世界中，所谓无上命法是也。即吾人之处一事也，无论实际上能如此与否，必有当如此不当如彼之感，他人亦不问我能如此否。苟不如此，必加以呵责，使意志而不自由，则吾人不能感其当然，他人亦不能加以责备也。今有一妄言者于此，自其经验的品性言之，则其原因存于不良之教育，腐败之社会，或本有不德之性质，或缺羞恶之感情，又有妄言所得之利益之观念，为其目前之动机，以决定此行为。而吾人之研究妄言之原因也，亦得与研究自然中之结果之原因同。然吾人决不因其固有之性质故，决不因其现在之境遇故，亦决不因前此之生活状态故，而不加以责备，其视此等原因，若不存在者。然而以此行为为彼之所自造，何则？吾人之实践理性，实离一切经验的条件而独立，以于吾人之动作中生一新方向。故妄言之罪，自其经验的品性言之，虽为必然的，然睿智的品性，不能不负其责任也。此汗德之调停说之大略也。

汗德于是下自由之定义。其消极之定义曰：意志之离感性的冲动而独立；其积极之定义则曰：纯粹理性之能现于实践也。然意志之离冲动而独立，与纯粹理性之现于实践，更无原因以决定之欤？汗德亦应之曰：有理性之势力即是也。故汗德以自由为因果之一种。但自由之因果，与自然之因果，其性质异耳。然既有原因以决定之矣，则虽欲谓之自由，不可得也。其所以谓之自由者，则以其原因在我而不在外物，即在理性而不在外界之势力，故此又大不然者也。吾人所以从理性之命令，而离身体上之冲动而独立者，必有种种之原因。此原因不存于现在，必存于过去；不存于个人之精神，必存于民族之精神。而此等表面的自由，不过不可见之原因战胜可见之原因耳。其为原因所决定，仍与自然界之事变无以异也。

叔本华亦绍述汗德之说，而稍正其误，谓动机律之在人事界，与因果律之在自然界同。故意志之既入经验界，而现于个人之品性以后，则无往而不为动机所决定，惟意志之自己拒绝或自己主张，其结果虽现于经验上，然属意志之自由。然其谓意志之拒绝自己，本于物我一体之知识，则此知识，非即拒绝意志之动机乎？则自由二字，意志之本体，果有此性质否，吾不能知。然其在经验之世界中，不过一空虚之概念，终不能有实在之内容也。

然则吾人之行为，既为必然的而非自由的，则责任之观念，又何自起乎？曰：一切行为，必有外界及内界之原因。此原因不存于现在，必存于过去；不存于意识，必存于无意识。而此种原因，又必有其原因。而吾人对此等原因，但为其所决定，而不能加以选择。如汗德所引妄言之例，固半出于教育及社会之影响，而吾人之入如此之社会，受如此之教育，亦有他原因以决定之。而此等原因，往往为吾人所不及觉。现在之行为之不适于人生之目的也，一若当时全可以自由者，于是有责任及悔恨之感情起。而此等感情，以为心理上一种之势力故，故足为决定后日行为之原因。此责任之感情之实践上之价值也。故吾人责任之感情，仅足以影响后此之行为，而不足以推前此之行为之自由也。余以此二论之争，与命之问题相联络，故批评之于此，又使世人知责任之观念，自有实在上之价值，不必藉意志自由论为羽翼也。

载1906年《教育世界》

国朝汉学派戴阮二家之哲学说

近世哲学之流，其胶浅枯涸，有甚于国朝三百年间者哉！国初承明之后，新安、姚江二派，尚相对垒，然各抱一先生之言，姝姝自悦，未有能发展明光大之者也。雍乾以后，汉学大行，凡不手许慎、不口郑玄者，不足以与于学问之事。于是昔之谈程朱、陆王者，屏息敛足，不敢出一语。至乾嘉之间，而国朝学术与东汉比隆矣，然其中之巨子，亦悟其说之庞杂破碎，无当于学，遂出汉学固有之范围外，而取宋学之途径。于是孟子以来所提出之人性论，复为争论之问题。其中之最有价值者，如戴东原之《原善》《孟子字义疏证》，阮文达之《性命古训》等，皆由三代秦汉之说，以建设其心理学及伦理学。其说之幽玄高妙，自不及宋人远甚；然一方复活先秦之古学，一方又加以新解释，此我国最近哲学上唯一有兴味之事，亦唯一可纪之事也。兹略述二氏之说如左。

戴氏之学说，详于《原善》及《孟子字义疏证》。然其说之系统，具于《读易系辞论性》一篇，兹录其全文于左。由此而读二书，则思过半矣。

《易》曰：“一阴一阳之谓道，继之者善也，成之者性也。”一阴一阳，盖言天地之化不已也，道也。一阴一阳，其生生乎？其生生而条理乎？以是见天地之顺，故曰“一阴一阳之谓道”。生生，仁也。未有生生而不条理者。条理之秩然，礼至著也；条理之截然，义至著也，以是见天地之常，三者咸得，天下之至善也，人物之常也，故曰“继之者善也”。言乎人物之生，其善则与天地继承不隔者也。有天地，然后有人物；有人物，于是有人物之性。人与物同有欲，欲也者，性之事也。人与物同有觉，觉也者，性之能也。事能无有失，则协于天地之德，协于天地之德，理至正也。理也者，性之德也。言乎自然之谓顺，言乎必然之谓常，言乎本然之谓德。天下之道尽于顺，天下之教一于常，天下之性同之于德。性之事配阴阳五行，性之能配鬼神，性之德配天地之德。所谓血气心知之性，发于事能者是也。所谓天之性者，事能之无有失是也。为夫不知德者别言之也。人与物同有欲，而得之以生也各殊。人与物同有觉，而喻大者大，喻小者小也各殊。人与物之中正同协于天地之德，而存乎其得之以生，存乎喻大喻小之明昧也各殊。此之谓阴阳五行以成性，故曰“成之者性也”。善以言乎天下之大共也，性言乎成于人人之举凡自为。性其本也；所谓善无他焉，天地之化，性之事能，可以知善矣。君子之教也，以天下之大共正人之所自为，性之事能，合之则中正，违之则邪僻，以天地之常，俾人咸知由其常也。明乎天地之顺者，可与语道；察乎天地之常者，可与语善；通乎天地之德者，可与语性。

《戴东原集》卷八

宋儒之言性也，以性为即理。又虽分别理义之性与气质之性，然以欲为出于气质之性，而其所谓性，概指义理之性言之。（朱子《论语》“性相近也”章注引程子曰：“此言气质之性，非性之本也。若言其本，则性即是理，理无不善，孟子之言性善是也。何相近之有哉？”又《孟子》“生之谓性”章注：“告子不知性之为理，而以所为气者当之。”）故由宋儒之说，欲者，性以外之物；又义理者，欲以外之物也。戴氏则以欲在性中，而义理即在欲中。曰：“欲也者，性之事也。事无有失，则协于天地之德，协于天地之德，理至正也。理也者，性之德也。”（见上）又曰：“欲不流于私则仁，不溺而为慝则义，情发而中节则和，如是之谓天理。情欲未动，湛然无失，是为天性。非天性自天性，情欲自情欲，天理自天理也。”（《答彭进士书》）又曰：“理也者，情之不爽失也。”（《孟子字义疏证》卷上）又曰：“无过情、无不及情之谓性。”（同上）此所谓情兼欲而言之。兹将其论情及欲二条对照之可知：

> 问：古人之言天理，何谓也？曰：理也者，情之不爽失也，未有情不得而理得者也。凡有所施于人，反躬而静思之：人以此施于我，能受之乎？凡有所责于人，反躬而静思之：人以此责于我，能尽之乎？以我絜之人则理明。天理云者，言乎自然之分理也；自然之分理，以我之情絜人之情，而无不得其平是也。《乐记》曰：“人生而静，天之性也。感于物而动，性之欲也。物至知知，然后好恶形焉。好恶无节于内，知诱于外，不能反躬，天理灭矣。夫物之感人无穷，

而人之好恶无节，则是物至而人化物也。人化物也者，灭天理而穷人欲者也。于是有悖逆诈伪之心，有淫佚作乱之事。是故强者胁弱，众者暴寡，知者诈愚，勇者苦怯，疾病不养，老幼孤独不得其所。此大乱之道也。”诚以弱、寡、愚、怯与夫疾病、老幼、孤独，反躬而思其情，人岂异于我？盖方其静也，未感与物，其血气心知，湛然无有失，故曰“天之性”；及其感而动，则欲出于性；一人之欲，天下人之所同欲也，故曰“性之欲”。好恶既形，遂己之好恶，忘人之好恶，往往贼人以逞欲。反躬者，以人逞其欲，思身受之之情也。情得其平，是为好恶之节，是为依乎天理。古人所谓天性，未有如后儒所谓天理者矣。

《孟子字义疏证》卷上

又曰：

问：《乐记》言“灭天理而穷人欲”，其言有似以理欲为正邪之别，何也？曰：性，譬则水也；欲，譬则水之流也。节而不过，则为依乎“天理”，为相生相养之道，譬则水由地中行也；“穷人欲”而至于“有悖逆诈伪之心，有淫佚作乱之事”，譬则洪水横流，泛滥于中国也。圣人教之反躬，以己之加于人，设人如是加于己，而思躬受之之情，譬则禹之行水，行其所无事，非恶泛滥而塞其流也。恶泛滥而塞其流，其立说之工者直绝其源，是遏欲无欲之喻也。“口之于味也，目之于色

> 也，耳之于声也，鼻之于臭也，四肢之于安佚也”，此后儒视为人欲之私者，而孟子曰“性也”，继之曰“有命焉”。命者，限制之名，如命之东则不得而西，言性之欲之不可无节也。节而不过，则依乎天理，非以天理为正、人欲为邪也。天理者，节其欲而不穷人欲也。是故欲不可穷，非不可有，有而节之，使无过情，无不及情，可谓之非天理乎！
>
> 《孟子字义疏证》卷上

由此观之，上之所谓情，即此之所谓欲也。其与彭进士（绍升）书所谓“情者，有亲疏长幼尊卑，而发于自然”，又曰欲患其过，而情患其不及者，则狭义之情，而非此所谓情也。此所谓情者，欲而已矣。而欲之得其平，得其节者，即谓之理。又引《中庸》之“文理”、《乐记》之“伦理”、《孟子》之“条理”、《庄子》之“天理”（《养生主》）、《韩非子》之“腠理”之训，以为理者，非具于物之先，而存于物之中，物之条分缕晰者即是也。盖生生者，天地之性，由是而有阴阳五行，由是而有山川原隰，由是而有飞潜动植。所谓“生生而条理”者也，此天地之理也。人之性感于物而动，于是乎有欲，天下之人，各得遂其欲而无所偏，此人之理也。而使吾人之欲，在在依乎天理，其道在行孔子之所谓“恕”，《大学》所谓“絜矩之道”。所谓“理”者，自客观上言之，所谓“恕”与“絜矩之道”者，自主观上言之；所谓“理”者，自其究竟言之，所谓“恕”与“絜矩之道”者，自其手段言之，其实则一而已矣。

然则使吾人节人欲而依乎天理者何欤？使吾人以己之情絜人

之情，而无不得其平者何欤？夫戴氏之所谓性，固兼心知与血气言之，则所以使吾人如此者，其为心知必矣。故曰：

> 凡血气之属，皆有精爽。其心之精爽、巨细不同。如火光之照物，光小者其照也近，所照者不谬也，所不照者疑谬承之，不谬之谓得理；其光大者其照也远，得理多而失理少。且不特远近也，光之及又有明暗，故于物有察有不察；察者尽其实，不察斯疑谬承之，疑谬之谓失理。失理者，限于质之昧，所谓愚也。惟学可以增益其不足而进于智，益之不已，至乎其极，如日月有明，容光必照，则圣人矣。
>
> 《孟子字义疏证》卷上

然则如戴氏之说，则非理之行，存于知之失，而不存于欲之失，故驳周子无欲之说。又曰：

> 朱子亦屡言“人欲所蔽”，皆以为无欲则无蔽，非《中庸》“虽愚必明”之道也。有生而愚者，虽无欲亦愚也。凡出于欲，无非相生相养之事。欲之失，为私不为蔽。……私生于欲之失，蔽生于知之失。
>
> 《孟子字义疏证》卷上

然由戴氏之说推之，则必欲之失根于知之失而后可，必私与蔽相因而后可。不然，则理者情欲之不爽失之谓，知之失，安得即谓之非理？今乃曰“欲之失为私不为蔽”，一若私与蔽全为二物者，自其哲学之全体观之，不可谓之非矛盾也。

厥后阮文达又推阐戴氏之说，而作《性命古训》(《揅经室一集》卷十)，复括其意作《节性斋主人小像跋》一篇(《揅经室再续集》卷一)，其文曰：

> 余讲学不敢似学案立宗旨，惟知言性则溯始《召诰》之“节性”，迄于《孟子》之“性善”，不立空谈，不生异说而已。性字之造，于周召之前，从心则包仁、义、礼、智等在内，从生则包味、臭、色、声等在内。是故周召之时，解性字者朴实不乱。何也？字如此实造，事亦如此实讲。周召知性中有欲，必须节之。节者，如有所节制，使不逾尺寸也。以节字制天下后世之性，此圣人万世可行，得中庸之道也。《中庸》之“率性”(率同帅)，犹《召诰》之“节性”也。……至于各义，已详余《性命古训》篇。
>
> 《虞夏书》内无性字，性字始见于《书·西伯戡黎》(天性)、《召诰》(节性)、《诗·卷阿》(弥性)。古性字之义，包于命字之中，其字乃商、周孳生之字，非仓颉所造。从心则包仁义等事(人非仁义，无以为生)，从生则包食色等事(人非食色，无以生生)。孟子曰：“动心忍性。”若性但须复，何必言忍？忍即节也。

故阮氏之说，全祖戴氏，其所增益者，不过引《书·召诰》，《诗·卷阿》之说，为戴氏之未及，又分析性之字义而已。二氏之意，在申三代秦汉之古义，以攻击唐宋以后杂于老、佛之新学。戴氏于《孟子字义疏证》外，其攻击新学，尤详于《答彭进士书》。其弟子段若膺氏谓此书“以六经、孔孟之旨还之六经、孔孟，以程朱之旨还之程朱，以陆王、佛氏之旨还之陆王、佛氏”。诚哉此言也！阮氏于《性命古训》中，亦力攻李翱复性之说。又作《塔性说》(《揅经室续集》卷三)，以为翻译者，但用典中“性”字，以当佛经无得而称之物，而唐人更以经中“性”字当之。其说与唐宋以来千余年之说，其优劣如何，暂置勿论。要之，以宋儒之说还宋儒，以三代之说还三代，而使吾人得明认三代与唐宋以后之说之所以异，其功固不可没也。

盖吾中国之哲学，皆有实际的性质，而此性质于北方之学派中为尤著。古代北方之学派中，非无深邃统一之哲学，然皆以实用为宗旨。《易》之旨在于前民用，《洪范》之志在于叙彝伦，故生生主义者，北方哲学之唯一大宗旨也。苟无当于生生之事者，北方学者之所不道。故孔、墨之徒，皆汲汲以用世为事，惟老庄之徒生于南方（庄子楚人，虽生于宋，而钓于濮水。陆德明《经典释文》曰：“陈地水也。”此时陈已为楚灭，则亦楚地也。故楚王欲以为相），遁世而不悔，其所说虽不出实用之宗旨，然其言性与道，颇有出于北方学者之外者。盖北方土地硗瘠，人民图生事之不暇，奚暇谈空理？其偏于实际，亦自然之势也。至江、淮以南，富水利，多鱼盐，其为生也较易，故有思索之余暇。《史记·货殖列传》曰：

> 总之，吴越之地，地广人稀，饭稻羹鱼，或火耕而水耨，果隋蠃蛤，不待贾而足，地势饶食，无饥馑之患，以故呰窳偷生，无积聚而贫。是故江、淮以南，无

> 冻饿之人，亦无千金之家。沂、泗水以北，宜五谷桑麻六畜，地小人众，数被水旱之害。

理论哲学之起于南方，岂不以此也乎？此外古代幽深玄远之哲学，所以起于印度、希腊者，其原因亦存于此。至魏晋以后，南方之哲学与印度哲学之一部代兴于中国，然以不合于我国人实际之性质，故我国北方之学者，亦自觉其理论之不如彼也。三者混合，而成宋元明三朝之学术，至国朝而三者之说俱微矣。自汉学盛行，而学者以其考证之眼，转而攻究古代之性命、道德之说，于是古代北方之哲学复明，而有复活之态。度戴、阮二氏之说，实代表国朝汉学派一般之思想，亦代表吾国人一般之思想者也。此足以见理论哲学之不适于吾国人之性质，而我国人之性质，其彻头彻尾实际的，有如是也，至数者，是非优劣之问题，则不具论于此。

载 1904 年《教育世界》

叔本华与尼采

十九世纪中，德意志之哲学界有二大伟人焉：曰叔本华（Schopenhauer），曰尼采（Nietzsche）。二人者，以旷世之文才，鼓吹其学说也同；其说之风靡一世，而毁誉各半也同；就其学说言之，则其以意志为人性之根本也同。然一则以意志之灭绝，为其伦理学上之理想，一则反是；一则由意志同一之假说，而唱绝对之博爱主义，一则唱绝对之个人主义。夫尼采之学说，本自叔本华出，曷为而其终乃反对若是？岂尼采之背师？固若是其甚欤？抑叔本华之学说中，自有以启之者欤？自吾人观之，尼采之学说全本于叔氏，其第一期之说，即美术时代之说，其全负于叔氏，固可勿论；第二期之说，亦不过发挥叔氏之直观主义；其末期之说，虽若与叔氏相反对，然要之不外以叔氏之美学上之天才论，应用于伦理学而已。兹比较二人之说，好学之君子以览观焉。

叔本华由锐利之直观与深邃之研究，而证吾人之本质为意志，而其伦理学上之理想，则又在意志之寂灭。然意志之寂灭之可能与否，一不可解之疑问也（其批评见《红楼梦评论》第四章）。尼采亦以意志为人之本质，而独疑叔氏伦理学之寂灭说，谓欲寂灭此意志者，亦一意志也，于是由叔氏之伦理学出，而趋于其反对之方向；又幸而于叔氏之伦理学上所不满足者，于其美学中发见其可模仿之点，即其天才论与知力的贵族主义，实可为超人说之标本者也。要之，尼采之说，乃彻头彻尾发展其美学上之见解，而应用之于伦理学，犹赫尔德曼之无意识哲学，发展其伦理学之见解者也。

叔氏谓吾人之知识，无不从充足理由之原则者，独美术之知识不然。其言曰：

> 一切科学，无不从充足理由原则之某形式者。科学之题目，但现象耳，现象之变化及关系耳。今有一物焉，超乎一切变化关系之外，而为现象之内容，无以名之，名之曰实念。问此实念之知识为何？曰美术是已。夫美术者，实以静观中所得之实念，寓诸一物焉而再现之。由其所寓之物之区别，而或谓之雕刻，或谓之绘画，或谓之诗歌、音乐，然其惟一之渊源，则存于实念之知识，而又以传播此知识为其惟一之目的也。一切科学，皆从充足理由之形式。当其得一结论之理由也，此理由又不可无他物以为之理由，他理由亦然。譬诸混混长流，永无渟潴之日；譬诸旅行者，数周地球，而曾不得见天之有涯、地之有角。美术则不然，固无往而不得其息肩之所也。彼由理由结论之长流中，拾其静观之对象，而使之孤立于吾前。而此特别之对象，其在科学中也，则藐然全体之一部分耳；而在美术中，则遽而代表其物之种族之全体，空间时间之形式对此而失其效，关系之法则至此而穷于用，故此时之对象，非个物而但其实念也。吾人于是得下美术之定义曰：美术者，离充足

理由之原则而观物之道也。此正与由此原则观物者相反对。后者如地平线，前者如垂直线；后者之延长虽无限，而前者得于某点割之；后者合理之方法也，惟应用于生活及科学；前者天才之方法也，惟应用于美术；后者雅里大德勒之方法，前者柏拉图之方法也；后者如终风暴雨，震撼万物，而无始终、无目的，前者如朝日漏于阴云之罅，金光直射，而不为风雨所摇；后者如瀑布之水，瞬息交易，而不舍昼夜，前者如涧畔之虹，立于鞳鞺澎湃之中，而不改其色彩。

英译《意志及观念之世界》

第一百三十八页至一百四十页

夫充足理由之原则，吾人知力最普遍之形式也。而天才之观美也，乃不沾沾于此。此说虽本于希尔列尔（Schiller）之游戏冲动说，然其为叔氏美学上重要之思想，无可疑也。尼采乃推之于实践上，而以道德律之于超人，与充足理由原则之于天才一也。由叔本华之说，则充足理由之原则，非徒无益于天才，其所以为天才者，正在离之而观物耳。由尼采之说，则道德律非徒无益于超人，超道德而行动，超人之特质也。由叔本华之说，最大之知识，在超绝知识之法则。由尼采之说，最大之道德，在超绝道德之法则。天才存于知之无所限制，而超人存于意之无所限制。而限制吾人之知力者，充足理由之原则；限制吾人之意志者，道德律也。于是尼采由知之无限制说，转而唱意之无限制说。其《察拉图斯德拉》第一篇中之首章，述灵魂三变之说曰：

察拉图斯德拉说法于五色牛之村，曰：吾为汝等说灵魂之三变。灵魂如何而变为骆驼，又由骆驼而变为狮，由狮而变为赤子乎？于此有重荷焉，强力之骆驼负之而趋，重之又重以至于无可增，彼固以此为荣且乐也。此重物何？此最重之物何？此非使彼卑弱而污其高严之衮冕者乎？此非使彼炫其愚而匿其知者乎？此非使彼拾知识之橡栗而冻饿以殉真理者乎？此非使彼离亲爱之慈母而与聋瞽为侣者乎？世有真理之水，使彼入水而友蛙黾者非此乎？使彼爱敌而与狞恶之神握手者非此乎？凡此数者，灵魂苟视其力之所能及，无不负也。如骆驼之行于沙漠，视其力之所能及，无不负也。既而风高日黯，沙飞石走，昔日柔顺之骆驼，变为猛恶之狮子，尽弃其荷，而自为沙漠主，索其敌之大龙而战之。于是昔日之主，今日之敌；昔日之神，今日之魔也。此龙何名？谓之“汝宜”。狮子何名？谓之“我欲”。邦人兄弟，汝等必为狮子，毋为骆驼。岂汝等任载之日尚短，而负担尚未重欤？汝等其破坏旧价值（道德）而创作新价值，狮子乎？言乎破坏则足矣，言乎创作则未也。然使人有创作之自由者，非彼之力欤？汝等胡不为狮子？邦人兄弟，狮子之变为赤子也何故？狮子之所不能为，而赤子能之者何？赤子若狂也，若忘也，万事之源泉也，游戏之状态也，自转之轮也，第一之运动也，神圣之自尊也。邦人兄弟灵魂之为骆驼，骆驼之变而为狮，狮之变而为赤子，余既诏汝矣！

英译《察拉图斯德拉》第二十五页至二十八页

其赤子之说，又使吾人回想叔本华之天才论曰：

> 天才者，不失其赤子之心者也。盖人生至七年后，知识之机关即脑之质与量已达完全之域，而生殖之机关尚未发达，故赤子能感也，能思也，能教也，其爱知识也较成人为深，而其受知识也亦视成人为易。一言以蔽之曰：彼之知力盛于意志而已。即彼之知力之作用，远过于意志之所需要而已。故自某方面观之，凡赤子皆天才也。又凡天才自某点观之，皆赤子也。昔海尔台尔（Herder）谓格代（Goethe）曰巨孩。音乐大家穆羞德（Mozart）亦终生不脱孩气，休利希台额路尔谓彼曰："彼于音乐，幼而惊其长老，然于一切他事，则壮而常有童心者也。"
>
> 英译《意志及观念之世界》
>
> 第三册第六十一页至六十三页

至尼采之说超人与众生之别，君主道德与奴隶道德之别，读者未有不惊其与叔氏伦理学上之平等博爱主义相反对者。然叔氏于其伦理学及形而上学所视为同一意志之发现者，于知识论及美学上则分之为种种之阶级，故古今之崇拜天才者，殆未有如叔氏之甚者也。彼于其大著述第一书之补遗中，说知力上之贵族主义曰：

> 知力之拙者常也，其优者变也。天才者，神之示现也。不然，则宁有以八百兆之人民，经六千年之岁月，

而所待于后人之发明思索者，尚如斯其众耶？夫大智者，固天之所吝，天之所吝，人之幸也。何则？小智于极狭之范围内，测极简之关系，此大智之瞑想宇宙人生者，其事逸而且易。昆虫之在树也，其视盈尺以内，较吾人为精密，而不能见人于五步之外。故通常之知力，仅足以维持实际之生活耳。而对实际之生活，则通常之知力，固亦已胜任而愉快；若以天才处之，是犹用天文镜以观优，非徒无益，而又蔽之。故由知力上言之，人类真贵族的也，阶级的也。此知力之阶级，较贵贱贫富之阶级为尤著。其相似者，则民万而始有诸侯一，民兆而始有天子一，民京垓而始有天才一耳。故有天才者，往往不胜孤寂之感。白衣龙（Byron）于其《唐旦之预言诗》中咏之曰：

To feel me in the solitude of kings.

With out the power that make them bear a crown.

予岑寂而无友兮，羌独处乎帝之庭。冠玉冕之崔巍兮，夫固踽踌而不能胜。（略译其大旨）

此之谓也。

同前书第二册第三百四十二页

此知力的贵族与平民之区别外，更进而立大人与小人之区别曰：

一切俗子，因其知力为意志所束缚，故但适于一身之目的。由此目的出，于是有俗滥之画，冷淡之诗，阿世媚俗之哲学。何则？彼等自己之价值，但存于其一身一家之福祉，而不存于真理故也。惟知力之最高者，其真正之价值，不存于实际，而存于理论；不存于主观，而存于客观，耑耑焉力索宇宙之真理而再现之。于是彼之价值，超乎个人之外，与人类自然之性质异。如彼者，果非自然的欤？宁超自然的也。而其人之所以大，亦即存乎此。故图画也，诗歌也，思索也，在彼则为目的，而在他人则为手段也。彼牺牲其一生之福祉，以殉其客观上之目的，虽欲少改焉而不能。何则？彼之真正之价值，实在此而不在彼故也。他人反是，故众人皆小，彼独大也。

同前书第三册第一百四十九页至一百五十页

叔氏之崇拜天才也如是。由是对一切非天才而加以种种之恶谥：曰俗子（Philistine），曰庸夫（Populase），曰庶民（Mob），曰舆台（Rabble），曰合死者（Mortal）。尼采则更进而谓之曰众生（Herd），曰众庶（Far-too-many）。其所以异者，惟叔本华谓知力上之阶级惟由道德联结之，尼采则谓此阶级于知力道德皆绝对的而不可调和者也。

叔氏以持知力的贵族主义，故于其伦理学上虽奖卑屈（Humillty）之行，而于其美学上大非谦逊（Modesty）之德曰：

人之观物之浅深明暗之度不一，故诗人之阶级亦不一。当其描写所观也，人人殆自以为握灵蛇之珠，抱荆山之玉矣。何则？彼于大诗人之诗中，不见其所描写者或逾于自己。非大诗人之诗之果然也，彼之肉眼之所及，实止于此，故其观美术也，亦如其观自然，不能越此一步也。惟大诗人见他人之见解之肤浅，而此外尚多描写之余地，始知己能见人之所不能见，而言人之所不能言。故彼之著作，不足以悦时人，只以自赏而已。若以谦逊为教，则将并其自赏者而亦夺之乎？然人之有功绩者，不能掩其自知之明。譬诸高八尺者，暂而过市，则肩背昂然，齐于众人之首矣。千仞之山，自巅而视其麓也，与自麓而视其巅等。霍兰士（Horace）、鲁克来鸠斯（Lucletius）、屋维特（Ovid）及一切古代之诗人，其自述也，莫不有矜贵之色。唐旦（Dante）然也，狭斯丕尔（Shakespeare）然也，柏庚（Bacon）亦然也。故大人而不自见其大者，殆未之有。惟细人者自顾其一生之空无所有，而聊托于谦逊以自慰，不然则彼惟有蹈海而死耳。某英人尝言曰："功绩（Merit）与谦逊（Modest）除二字之第一字母外，别无公共之点。"格代亦云："惟一无所长者乃谦逊耳。"特如以谦逊教人责人者，则格代之言，尤不我欺也。

同前书第三册第二百零二页

吾人且述尼采之《小人之德》一篇中之数节以比较之。其言曰：

察拉图斯德拉远游而归，至于国门，则眇焉若狗窦，匍匐而后能入。既而览乎民居，粲焉若傀儡之箱，鳞次而栉比，叹曰：夫造物者，宁将以彼为此拘拘也。吾知之矣，使彼等藐焉若此者，非所谓德性之教耶？彼等好谦逊，好节制。何则？彼等乐其平易故也。夫以平易而言，则诚无以逾乎谦逊之德者矣。彼等尝学步矣，然非能步也，鬖也。彼且鬖且顾，且顾且鬖，彼之足与目不我欺也。彼等之小半能欲也，而其大半被欲也。其小半本然之动作者也，其大半反是，彼等皆不随意之动作者也，与意识之动作者也，其能为自发之动作者希矣。其丈夫既藐焉若此，于是女子亦皆以男子自处。惟男子之得全其男子者，得使女子之位置复归于女子。其最不幸者，命令之君主，亦不得不从服役之奴隶之道德。"我役、汝役、彼役"，此道德之所命令者也。哀哉！乃使最高之君主，为最高之奴隶乎？哀哉！其仁愈大，其弱愈大；其义愈大，其弱愈大。此道德之根柢，可以一言蔽之，曰"毋害一人"。噫！道德乎？卑怯耳。然则彼等所视为道德者，即使彼等谦逊驯扰者也。是使狼为羊，使人为人之最驯之家畜者也。

《察拉图斯德拉》第二百四十八页至二百四十九页

尼采之恶谦逊也亦若此，其应用叔氏美学之说于伦理学上，昭然可睹。夫叔氏由其形而上学之结论，而谓一切无生物、生物，与吾人皆同一意志之发现，故其伦理学上之博爱主义，不推而放之于禽兽草木不止。然自知力上观之，不独禽兽与人异焉而已，即天才与众人间，男子与女子间，皆有斠然不可逾之界限。

但其与尼采异者，一专以知力言，一推而论之于意志，然其为贵族主义则一也。又叔本华亦力攻基督教曰：“今日之基督教，非基督之本意，乃复活之犹太教耳。”其所以与尼采异者，一则攻击其乐天主义，一则并其厌世主义而亦攻之，然其为无神论则一也。叔本华说涅槃，尼采则说转灭；一则欲一灭而不复生，一则以灭为生超人之手段，其说之所归虽不同，然其欲破坏旧文化而创造新文化则一也。况其超人说之于天才说，又历历有模仿之迹乎！然则吾人之视尼采，与其视为叔氏之反对者，宁视为叔氏之后继者也。

又叔本华与尼采二人之相似，非独学说而已，古今哲学家性行之相似，亦无若彼二人者。巴尔善之《伦理学系统》与文特尔朋《哲学史》中，其述二人学说与性行之关系，甚有兴味，兹援以比较之。巴尔善曰：

> 叔本华之学说与其生活，实无一调和之处。彼之学说，在脱屣世界与拒绝一切生活之意志，然其性行则不然；彼之生活，非婆罗门教、佛教之克己的，而宁伊壁鸠鲁之快乐的也。彼自离柏林后，权度一切之利害，而于法兰克福特及曼亨姆之间定其隐居之地。彼虽于学说上深美悲悯之德，然彼自己则无之。古今之攻击学问上之敌者，殆未有酷于彼者也。虽彼之酷于攻击，或得以辩护真理自解乎，然何不观其对母与妹之关系也？彼之母妹，斩焉陷于破产之境遇，而彼独保其自己之财产。彼终其身惴惴焉，惟恐分有他人之损失及他人之苦痛。要之，彼之性行之冷酷，无可

讳也。然则彼之人生观，果欺人之语欤？曰：否。彼虽不实践其理想上之生活，固深知此生活之价值者也。人性之二元中，理欲二者，为反对之两极，而二者以彼之一生为其激战之地。彼自其父遗传忧郁之性质，而其视物也，恒以小为大，以常为奇，方寸之心，充以弥天之欲，忧患劳苦，损失疾病，迭起互伏，而为其恐怖之对象，其视天下人无一可信赖者。凡此数者，有一于此，固足以疲其生活而有余矣。此彼之生活之一方面也。其在他方面，则彼大知也，天才也，富于直观之力，而饶于知识之乐，视古之思想家，有过之无不及。当此时也，彼远离希望与恐怖，而追求其纯粹之思索，此彼之生活中最慰藉之顷也。逮其情欲再现，则畴昔之平和破，而其生活复以忧患恐惧充之。彼明知其失而无如之何，故彼每曰："知意志之过失，而不能改之，此可疑而不可疑之事实也。"故彼之伦理说，实可谓其罪恶之自白也。

巴尔善《伦理学系统》第三百十一页至三百十二页

巴氏之说，固自无误，然不悟其学说中，于知力之元质外，尚有意志之元质（见下文）。然其叙述叔氏知意之反对，甚为有味。吾人更述文特尔朋之论尼采者比较之曰：

彼之性质中争斗之二元质，尼采自谓之曰地哇尼苏斯（Dionysus），曰亚波罗（Apollo），前者主意论，后者主知论也；前者叔本华之意志，后者海额尔之理念也。彼之知力的修养与审美的创造力，皆达最高之程度。彼深观历史与人生，而以诗人之手腕再现之。然其性质之根柢，充以无疆之大欲，故科学与美术不足以拯之。其志则专制之君主也，其身则大学之教授也，于是彼之理想，实往复于知力之快乐与意志之势力之间。彼俄焉委其一身于审美的直观与艺术的制作，俄焉而欲展其意志，展其本能，展其情绪，举昔之所珍赏者一朝而舍之。夫由其人格之高尚纯洁观之，则耳目之欲，于彼固一无价值也。彼所求之快乐，非知识的，即势力的也。彼之一生，疲于二者之争斗，迨其暮年，知识、美术、道德等一切，非个人及超个人之价值不足以厌彼，彼翻然而欲于实践之生活中，发展其个人之无限之势力。于是此战争之胜利者，非亚波罗而地哇尼苏斯也，非过去之传说而未来之希望也，一言以蔽之，非理性而意志也。

文特尔朋《哲学史》第六百七十九页

由此观之，则二人之性行，何其相似之甚欤！其强于意志相似也，其富知力相似也，其喜自由相似也。其所以不相似而相似，相似而又不相似者何欤?

呜呼！天才者，天之所靳，而人之不幸也。蚩蚩之民，饥而食，渴而饮，老身长子，以遂其生活之欲，斯已耳。彼之苦痛，生活之苦痛而已；彼之快乐，生活之快乐而已。过此以往，虽有大疑大患，不足以撄其心。人之永保此蚩蚩之状态者，固其人之福祉，而天之所独厚者也。若夫天才，彼之所缺陷者与人同，而独能洞见其缺陷之处。彼与蚩蚩者俱生，而独疑其所以生。一言以蔽之，彼之生活也与人同，而其以生活为一问题也与人异；彼之生于世界也与人同，而其以世界为一问题也与人异。然使此等问题，彼自命之而自解之，则亦何不幸之有？然彼亦一人耳，志驰乎六合之外，而身扃乎七尺之内，因果之法则与空间时间之形式，束缚其知力于外；无限之动机与民族之道德，压迫其意志于内，而彼之知力意志，非犹夫人之知力意志也？彼知人之所不能知，而欲人之所不敢欲，然其被束缚压迫也与人同。夫天才之大小，与其知力意志之大小为比例，故苦痛之大小，亦与天才之大小为比例。彼之痛苦既深，必求所以慰藉之道，而人世有限之快乐，其不足慰藉彼也明矣。于是彼之慰藉，不得不反而求诸自己。其视自己也，如君王，如帝天；其视他人也，如蝼蚁，如粪土。彼故自然之子也，而常欲为其母；又自然之奴隶也，而常欲为其主。举自然所以束缚彼之知意者，毁之，裂之，焚之，弃之，草薙而兽狝之。彼非能行之也，姑妄言之而已；亦非欲言诸人也，聊以自娱而已。何则？以彼知意之如此，而苦痛之如彼，其所以自慰藉之道，固不得不出于此也。

叔本华与尼采，所谓旷世之天才非欤？二人者，知力之伟大相似，意志之强烈相似。以极强烈之意志，而辅以极伟大之知力，其高掌远蹠于精神界，固秦皇、汉武之所北面，而成吉思汗、拿破仑之所望而却走者也。九万里之地球与六千年之文化，举不足以厌其无疆之欲。其在叔本华，则幸而有汗德者为其陈胜、吴广，为其李密、窦建德，以先驱属路。于是于世界现象之方面，则穷汗德之知识论之结论，而曰世界者，吾之观念也。于本体之方面，则曰世界万物，其本体皆与吾人之意志同，而吾人与世界万物，皆同一意志之发见也。自他方面言之，世界万物之意志，皆吾之意志也。于是我所有之世界，自现象之方面，而扩于本体之方面，而世界之在我，自知力之方面而扩于意志之方面。然彼犹以有今日之世界为不足，更进而求最完全之世界，故其说虽以灭绝意志为归，而于其大著第四篇之末，仍反覆灭不终灭、寂不终寂之说。彼之说博爱也，非爱世界也，爱其自己之世界而已；其说灭绝也，非真欲灭绝也，不满足于今日之世界而已。由彼之说，岂独如释迦所云天上地下，惟我独尊而已哉！必谓天上地下，惟我独存而后快。当是时，彼之自视，若担荷大地之阿德拉斯（Atlas）也，孕育宇宙之婆罗麦（Brahma）也。彼之形而上学之需要在此，终身之慰藉在此。故古今之主张意志者，殆未有过于叔氏者也，不过于其美学之天才论中，偶露其真面目之说耳。若夫尼采，以奉实证哲学，故不满于形而上学之空想。而其势力炎炎之欲，失之于彼岸者，欲恢复之于此岸；失之于精神者，欲恢复之于物质。于是叔本华之美学，占领其第一期之思想者，至其暮年，不识不知，而为其伦理学之模范。彼效叔本华之天才而说超人，效叔本华之放弃充足理由之原则而放弃道德，高视阔步，而恣其意志之游戏。宇宙之内，有知意之优于彼，或足以束缚彼之知意者，彼之所不喜也。故彼二人者，其执无神论同也，其唱意志自由论同也。譬之一树，叔本华之说，其根柢之盘错于地下；而尼采之说，则其枝叶之干青云而直上者也。尼采之说，如太华三峰，高与天际；而叔本华之说，则其山麓之花冈石也。其所趋虽殊，而性质则一。彼等所以为此说者无他，亦聊以自慰而已。

要之，叔本华之自慰藉之道，不独存于其美学，而亦存于其形而上学。彼于此学中发见其意志之无乎不在，而不惜以其七尺之我，殉其宇宙之我，故与古代之道德尚无矛盾之处。而其个人主义之失之于枝叶者，于根柢取偿之。何则？以世界之意志，皆彼之意志故也。若推意志同一之说，而谓世界之知力皆彼之知力，则反以俗人知力上之缺点加诸天才，则非彼之光荣，而宁彼之耻辱也；非彼之慰藉，而宁彼之苦痛也。其于知力上所以持贵族主义，而与其伦理学相矛盾者以此。《列子》曰：

> 周之尹氏大治产，其下趣役者侵晨昏而弗息。有老役夫筋力竭矣，而使之弥勤。昼则呻吟而即事，夜则昏惫而熟寐。昔昔梦为国君，居人民之上，总一国之事，游燕宫观，恣意所欲，觉则复役。
>
> 《周穆王篇》

叔氏之天才之苦痛，其役夫之昼也；美学上之贵族主义与形而上学之意志同一论，其国君之夜也。尼采则不然。彼有叔本华之天才，而无其形而上学之信仰，昼亦一役夫，夜亦一役夫；醒亦一役夫，梦亦一役夫，于是不得不弛其负担，而图一切价值之颠覆。举叔氏梦中所以自慰者，而欲于昼日实现之，此叔本华之说所以尚不反于普通之道德，而尼采则肆其叛逆而不惮者也。此无他，彼之自慰藉之道，固不得不出于此也。世人多以尼采暮年之说与叔本华相反对者，故特举其相似之点及其所以相似而不相似者如此。

载 1904 年《教育世界》

叔本华之哲学及其教育学说

自十九世纪以降，教育学蔚然而成一科之学。溯其原始，则由德意志哲学之发达是已。当十八世纪之末叶，汗德始由其严肃论之伦理学而说教育学，然尚未有完全之系统。厥后海尔巴德始由自己之哲学，而组织完全之教育学。同时德国有名之哲学家，往往就教育学有所研究，而各由其哲学系统以创立自己之教育学，裴奈楷然也，海额尔派之左右翼亦然也。此外专门之教育学家，其窃取希哀林及休来哀尔、马黑尔之说以构其学说者亦不少，独无敢由叔本华之哲学以组织教育学者。何则？彼非大学教授也，其生前之于学界之位置，与门弟子之数，决非两海氏之比。其性行之乖僻，使人人视之若蛇蝎，然彼终其身索居于法兰克福特，非有一亲爱之朋友也，殊如其哲学之精神与时代之精神相反对，而与教育学之以增进现代之文明为宗旨者，俨然有持方柄入圆凿之势。然叔氏之学说，果与现代之文明不相并立欤？即令如是，而此外叔氏所贡献于教育学者，竟不足以成一家之说欤？抑真理之战胜必待于后世，而旷世之天才不容于同时，如叔本华自己之所说欤？至十九世纪之末，腓力特·尼采始公一著述曰《教育家之叔本华》。然尼采之学说，为世人所诟病，亦无以异于昔日之叔本华，故其说于普通之学界中，亦非有伟大之势力也。尼氏此书，余未得见，不揣不敏，试由叔氏之哲学说，以推绎其教育上之意见。其条目之详细，或不如海、裴诸氏；至其立脚地之坚固确实，用语之精审明晰，自有哲学以来，殆未有及叔氏者也。呜呼！《充足原理》之出版已九十有一年，《意志及观念之世界》之出版八十有七年，《伦理学之二大问题》之出版，亦六十有五年矣，而教育学上无奉叔氏之说者；海氏以降之逆理说，乃弥满充塞于教育界。譬之歌白尼既出，而犹奉多禄某之天文学；生达维之后，而犹言斯他尔之化学，不亦可哀也欤！夫哲学，教育学之母也。彼等之哲学，既鲜确实之基础，欲求其教育学之确实，又乌可得乎？兹略述叔氏之哲学说与其说之及于教育学之影响，世之言教育学可以观焉。

哲学者，世界最古之学问之一，亦世界进步最迟之学问之一也。自希腊以来至于汗德之生二千余年，哲学上之进步几何？自汗德以降至于今百有余年，哲学上之进步几何？其有绍述汗德之说，而正其误谬，以组织完全之哲学系统者，叔本华一人而已矣。而汗德之学说，仅破坏的而非建设的。彼憬然于形而上学之不可能，而欲以知识论易形而上学，故其说仅可谓之哲学之批评，未可谓之真正之哲学也。叔氏始由汗德之知识论出，而建设形而上学，复与美学、伦理学以完全之系统。然则视叔氏为汗德之后继者，宁视汗德为叔氏之前驱者为妥也。兹举叔氏哲学之特质如下：

汗德以前之哲学家，除其最少数外，就知识之本质之问题，皆奉素朴实在论，即视外物为先知识而存在，而知识由经验外物而起者也。故于知识之本质之问题上奉实在论者，于其渊源之问题上，不得不奉经验论。其有反对此说者，亦未有言之有故，持之成理者也。汗德独谓吾人知物时，必于空间及时间中，而由因果性（汗德举此等性其数凡十二，叔本华仅取此性）整理之。然空间、时间者，吾人感性之形式；而因果性者，吾人悟性之形式，此数者皆不待经验而存，而构成吾人之经验者也。故经验之世界，乃外物之人于吾人感性、悟性之形式中者，与物之自身异。物之自身，虽可得而思之，终不可得而知之，故吾人所知者，唯现象而已。此与休蒙之说，其差只在程度，而不在性质。即休蒙以因果性等出于经验，而非有普遍性及必然性；汗德以为本于先天，而具此二性，至于对物之自身，则皆不能赞一词。故如以休蒙为怀疑论者乎，则汗德之说，虽欲不谓之怀疑论，不可得也。叔本华于知识论上奉汗德之说，曰世界者，吾人之观念也。一切万物，皆由充足理由之原理决定之，而此原理，吾人知力之形式也。物之为吾人所知者，不得不人此形式，故吾人所知之物，决非物之自身，而但现象而已。易言以明之，吾人之观念而已。然则物之自身，吾人终不得而知之乎？叔氏曰否，他物则吾不可知，若我之为我，则为物之自身之一部，昭昭然矣。而我之为我，其现于直观中时，则块然空间及时间中之一物，与万物无异；然其现于反观时，则吾人谓之意志而不疑也。而吾人反观时，无知力之形式行乎其间，故反观时之我，我之自身也。然则我之自身，意志也。而意志与身体，吾人实视为一物，故身体者，可谓之意志之客观化，即意志之人于知力之形式中者也。吾人观我时，得由此二方面；而观物时，只由一方面，即唯由知力之形式中观之，故物之自身，遂不得而知。然由观我之例推之，则一切物之自身，皆意志也。叔本华由此以救汗德批评论之失，而再建形而上学。于是汗德矫休蒙之失，而谓经验的世界，有超绝的观念性与经验的实在性者，至叔本华而一转，即一切事物，由叔本华氏观之，实有经验的观念性，而有超绝的实在性者也。故叔本华之知识论，自一方面观之，则为观念论；自他方面观之，则又为实在论。而彼之实在论，与昔之素朴实在论异，又昭然若揭矣。

古今之言形而上学及心理学者，皆偏重于知力之方面，以为世界及人之本体，知力也。自柏拉图以降，至于近世之拉衣白尼志，皆于形而上学中持此主知论。其间虽有若圣奥额斯汀谓一切物之倾向与吾人之意志同，有若汗德于其《实理批评》中说意志之价值，然尚未得为学界之定论。海尔巴德复由主知论以述系统之心理学，而由观念及各观念之关系以说明一切意识中之状态。至叔本华出而唱主意论，彼既由吾人之自觉，而发见意志为吾人之本质，因之以推论世界万物之本质矣；至是复由经验上证明之，谓吾人苟旷观生物界与吾人精神发达之次序，则意志为精神中之第一原质，而知力为其第二原质，自不难知也。植物上逐日光，下趋土浆，此明明意志之作用，然其知识安在？下等动物之于饮食男女，好乐而恶苦也，与吾人同，此明明意志之作用，然其知识安在？即吾人之坠地也，初不见有知识之迹，然且呱呱而啼饥，瞿瞿而索母，意志之作用，早行乎其间。若就知力上言之，弥月而始能视，于是始见有悟性之作用；三岁而后能言，于是始见有理性之作用。知力之发达，后于意志也如此。就实际言之，则知识者，实生于意志之需要。一切生物，其阶级愈高，其需要愈增，而其所需要之物，亦愈精而愈不易得，而其知力亦不得不应之而愈发达。故知力者，意志之奴隶也，由意志生而还为意志用者也。植物所需者，空气与水耳，之二者无乎不在，得自来而自取之，故虽无知识可也。动物之食物，存乎植物及他动物；又各动物各有特别之嗜好，不得不由己力求之，于是悟性之作用生焉。至人类所需，则其分量愈多，其性质愈贵，其数愈杂，悟性之作用，不足应其需，始生理性之作用，于是知力与意志二者始相区别。至天才出，而知力遂不复为意志之奴隶，而为独立之作用。然人之知力之所由发达，由于需要之增，与他动物固无以异也。则主知说之心理学，不足以持其说，不待论也。心理学然，形而上学亦然。而叔氏之他学说，虽不慊于今人，然于形而上学心理学，渐有趋于主意论之势，此则叔氏之大有造于斯二学者也。

于是叔氏更由形而上学，进而说美学。夫吾人之本质，既为意志矣，而意志之所以为意志，有一大特质焉，曰生活之欲。何则？生活者非他，不过自吾人之知识中所观之意志也。吾人之本质，既为生活之欲矣，故保存生活之事，为人生之唯一大事业。且百年者寿之大齐，过此以往，吾人所不能暨也。于是向之图个人之生活者，更进而图种姓之生活，一切事业，皆起于此。吾人之意志，志此而已；吾人之知识，知此而已。既志此矣，既知此矣，于是满足与空乏，希望与恐怖，数者如环无端，而不知其所终。目之所观，耳之所闻，手足所触，心之所思，无往而不与吾人之利害相关，终身仆仆，而不知所税驾者，天下皆是也。然则此利害之念，竟无时或息欤？吾人于此桎梏之世界中，竟不获一时救济欤？曰：有。唯美之为物，不与吾人之利害相关系，而吾人观美时，亦不知有一己之利害。何则？美之对象，非特别之物，而此物之种类之形式，又观之之我，非特别之我，而纯粹无欲之我也。夫空间时间，既为吾人直观之形式；物之现于空间皆并立，现于时间者皆相续，故现于空间时间者，皆特别之物也。

既视为特别之物矣，则此物与我利害之关系，欲其不生于心，不可得也。若不视此物为与我有利害之关系，而但观其物，则此物已非特别之物，而代表其物之全种，叔氏谓之曰实念。故美之知识，实念之知识也。而美之中又有优美与壮美之别。今有一物，令人忘利害之关系，而玩之而不厌者，谓之曰优美之感情；若其物直接不利于吾人之意志，而意志为之破裂，唯由知识冥想其理念者，谓之曰壮美之感情。然此二者之感吾人也，因人而不同；其知力弥高，其感之也弥深。独天才者，由其知力之伟大，而全离意志之关系，故其观物也视他人为深，而其创作之也与自然为一。故美者，实可谓天才之特许物也。若夫终身局于利害之桎梏中，而不知美之为何物者，则滔滔皆是。且美之对吾人也，仅一时之救济，而非永远之救济，此其伦理学上之拒绝意志之说，所以不得已也。

吾人于此，可进而窥叔氏之伦理学。从叔氏之形而上学，则人类于万物，同一意志之发现也，其所以视吾人为一个人，而与他人物相区别者，实由知力之蔽。夫吾人之知力，既以空间时间为其形式矣，故凡现于知力中者，不得不复杂。既复杂矣，不得不分彼我。然就实际言之，实同一意志之客观化也。易言以明之，即意志之入于观念中者，而非意志之本质也。意志之本质，一而已矣，故空间时间二者，用婆罗门及佛教之语言之，则曰摩耶之网；用中世哲学之语言之，则曰个物化之原理也。自此原理，而人之视他人及物也，常若与我无毫发之关系。苟可以主张我生活之欲者，则虽牺牲他人之生活之欲以达之而不之恤，斯之谓过。其甚者无此利己之目的，而惟以他人之苦痛为自己之快乐，斯为之恶。若一旦超越此个物化之原理，而认人与己皆此同一之意志，知己所弗欲者，人亦弗欲之，各主张其生活之欲而不相侵害，于是有正义之德。更进而以他人之快乐为己之快乐，他人之苦痛为己之苦痛，于是有博爱之德。于正义之德中，己之生活之欲已加以限制；至博爱，则其限制又加甚焉。故善恶之别，全视拒绝生活之欲之程度以为断：其但主张自己之生活之欲，而拒绝他人之生活之欲者，是为过与恶；主张自己，亦不拒绝他人者，谓之正义；稍拒绝自己之欲，以主张他人者，谓之博爱。然世界之根本，以存于生活之欲之故，故以苦痛与罪恶充之。而在主张生活之欲以上者，无往而非罪恶。故最高之善，存于灭绝自己生活之欲，且使一切生物皆灭绝此欲，而同入于涅槃之境。此叔氏伦理学上最高之理想也。此绝对的博爱主义与克己主义，虽若有严肃论之观，然其说之根柢，存于意志之同一之说，由是而以永远之正义，说明为恶之苦与为善之乐。故其说自他方面言之，亦可谓立于快乐论及利己主义之上者也。

叔氏于其伦理学之他方面，更调和昔之自由意志论及定业论，谓意志自身，绝对的自由也。此自由之意志，苟一旦有所决而发见于人生及其动作也，则必为外物所决定，而毫末不能自由。即吾人有所与之品性，对所与之动机，必有所与之动作随之。若吾人对所与之动机，而欲不为之动乎？抑动矣，而欲自异于所与之动作乎？是犹却走而恶影，击鼓而欲其作金声也，必不可得之数也。盖动机律之决定吾人之动作也，与因果律之决定物理界之现象无异，此普遍之法则也，必然之秩序也。故同一之品性，对同一之动机，必不能不为同一之动作，故吾人之动作，不过品性与动机二者感应之结果而已。更自他方面观之，则同一之品性，对种种之动机，其动作虽殊，仍不能稍变其同一之方向，故德性之不可以言语教也与美术同。苟伦理学而可以养成有德之人物，然则大诗人及大美术家，亦可以美学养成之欤？有人于此而有贪戾之品性乎？其为匹夫，则御人于国门之外可也；浸假而为君主，则掷千万人之膏血，以征服宇宙可也；浸假而受宗教之感化，则摩顶放踵，弃其生命国土，以求死后之快乐可也。此数者，其动作不同，而其品性则绝不稍异，此岂独他人不能变更之哉！即彼自己，亦有时痛心疾首而无可如何者也。故自由之意志，苟一度自决，而现于人生之品性以上，则其动作之必然，无可讳也。仁之不能化而为暴，暴之不能化而为仁，与鼓之不能作金声，钟之不能作石声无以异。然则吾人之品性，遂不能变化乎？叔氏曰否。吾人之意志，苟欲此生活而现于品性以上，则其动作有绝对的必然性；然意志之欲此与否，或不欲此而欲彼，则有绝对的自由性者也。吾人苟有此品性，则其种种之动作，必与其品性相应，然此气质非他，吾人之所欲而自决定之者也。然欲之与否，则存于吾人之自由。于是吾人有变化品性之义务，虽变化品性者，古今曾无几人，然品性之所以能变化，即意志自由之征也。然此变化，仅限于超绝的品性，而不及于经验的品性。由此观之，叔氏于伦理学上持经验的定业论与超绝的自由论，与其于知识论上持经验的观念论与超绝的实在论无异，此亦自汗德之伦理学出，而又加以系统的说明者也。由是叔氏之批评善恶也，亦带形式论之性质，即谓品性苟善，则其动作之结果如何，不必问也；若有不善之品性，则其动作之结果，虽或有益无害，然于伦理学上，实非有丝毫之价值者也。

至叔氏哲学全体之特质，亦有可言者。其最重要者，叔氏之出发点在直观（即知觉），而不在概念是也。盖自中世以降之哲学，往往从最普遍之概念立论，不知概念之为物，本由种种之直观抽象而得者，故其内容，不能有直观以外之物，而直观既为概念以后，亦稍变其形，而不能如直观自身之完全明晰。一切谬妄，皆生于此。而概念之愈普遍者，其离直观愈远，其生谬妄愈易。故吾人欲深知一概念，必实现之于直观，而以直观代表之而后可。若直观之知识，乃最确实之知识，而概念者仅为知识之记忆传达之用，不能由此而得新知识。真正之新知识，必不可不由直观之知识，即经验之知识中得之。然古今之哲学家，往往由概念立论，汗德且不免此，况他人乎！特如希哀林、海额尔之徒，专以概念为哲学上唯一之材料，而不复求之于直观，故其所说非不庄严宏丽，然如蜃楼海市，非吾人所可驻足者也。叔氏谓彼等之哲学曰“言语之游戏”，宁为过欤？叔氏之哲学则不然，其形而上学之系统，实本于一生之直观所得者，其言语之明晰与材料之丰富，皆存于此。且彼之美学、伦理学中，亦重直观的知识，而谓于此二学中，概念的知识无效也。故其言曰：“哲学者存于概念，而非出于概念，即以其研究之成绩，载之于言语（概念之记号）中，而非由概念出发者也。”叔氏之哲学所以凌轹古今者，其渊源实存于此。彼以天才之眼，观宇宙人生之事实，而于婆罗门、佛教之经典及柏拉图、汗德之哲学中，发见其观察之不谬，而乐于称道之。然其所以构成彼之伟大之哲学系统者，非此等经典及哲学，而人人耳中目中之宇宙人生即是也。易言以明之，此等经典哲学，乃彼之宇宙观及人生观之注脚；而其宇宙观及人生观，非由此等经典哲学出者也。

更有可注意者，叔氏一生之生活是也。彼生于富豪之家，虽中更衰落，尚得维持其索居之生活。彼送其一生于哲学之考察，虽一为大学讲师，然未几即罢，又非以著述为生活者也。故其著书之数，于近世哲学家中为最少；然书之价值之贵重，有如彼者乎？彼等日日为讲义，日日作杂志之论文（殊如希哀林、海额尔等），其为哲学上真正之考察之时殆希也。独叔氏送其一生于宇宙人生上之考察与审美上之瞑想，其妨此考察者，独彼之强烈之意志之苦痛耳。而此意志上之苦痛，又还为哲学上之材料，故彼之学说与行为，虽往往自相矛盾，然其所谓"为哲学而生，而非以哲学为生"者，则诚夫子之自道也。

至是，吾人可知叔氏之在哲学上之位置。其在古代，则有希腊之柏拉图；在近世，则有德意志之汗德。此二人固叔氏平生所最服膺，而亦以之自命者也。然柏氏之学说中，其所说之真理，往往被以神话之面具；汗德之知识论，固为旷古之绝识，然如上文所述，乃破坏的而非建设的，故仅如陈胜、吴广，帝王之驱除而已。更观叔氏以降之哲学，如翻希奈尔、芬德、赫尔德曼等，无不受叔氏学说之影响；特如尼采，由叔氏之学说出，浸假而趋于叔氏之反对点，然其超人之理想，其所负于叔氏之天才论者亦不少。其影响如彼，其学说如此，则叔氏与海尔巴脱等之学说，孰真孰妄，孰优孰绌，固不俟知者而决也。

吾人既略述叔本华之哲学，更进而观其及于教育学说。彼之哲学，如上文所述，既以直观为唯一之根据矣，故其教育学之议论，亦皆以直观为本。今将其重要之学说，述之如左：

叔氏谓直观者，乃一切真理之根本，唯直接间接与此相联络者，斯得为真理。而去直观愈近者，其理愈真；若有概念杂乎其间，则欲其不罹于虚妄难矣。如吾人持此论以观数学，则欧几里得之方法，二千年间所风行者，欲不谓之乖谬，不可得也。夫一切名学上之证明，吾人往往反而求其源于直观，若数学固不外空间时间之直观，而此直观，非后天的直观，而先天的直观也。易言以明之，非经验的直观，而纯粹的直观也。即数学之根据，存于直观，而不俟证明，又不能证明者也。今若于数学中舍其固有之直观，而代以名学上之证明，与人自断其足而俟辇而行者何异？于彼《充足之理由之原理》之论文中，述知识之根据（谓名学上之根据）与实在之根据（谓数学上之根据）之差异，数学之根据惟存于实在之根据，而知识之根据则与之全不相涉。何则？知识之根据，但能说物之如此如彼，而不能说何以如此如彼，而欧几里得则全用从此根据以说数学。今以例证之。当其说三角形也，固宜首说各角与各边之互相关系，且其互相关系也，正如理由与结论之关系，而合于充足理由之原理之形式。而此形式之在空间中，与在他方面无异，常有必然之性质，即一物所以如此，实由他物之异于此物者如此故也。欧氏则不用此方法以说明三角形之性质，仅与一切命题以名学上之根据，而由矛盾之原理，以委曲证明之。故吾人不能得空间之关系之完全之知识，而仅得其结论，如观鱼龙之戏，但示吾人以器械之种种作用，而其内部之联络及构造，则终未之示也。吾人由矛盾之原理，不得不认欧氏之所证明者为真实，然其何以真实，则吾人不能知之。故虽读欧氏之全书，不能真知空间之法则，而但记法则之某结论耳。此种非科学的知识，与医生之但知某病与其治疗之法，而不知二者之关系无异。然于某学问中舍其固有之证明，而求之于他，其结果自不得不如是也。

叔氏又进而求其用此方法之原因。盖自希腊之哀利梯克派首立所观及所思之差别及其冲突，美额利克派、诡辩派、新阿克特美派及怀疑派等继之。夫吾人之知识中，其受外界之感动者五官，而变五官所受之材料为直观者悟性也。吾人由理性之作用，而知五官及悟性，固有时而欺吾人，如夜中视朽索而以为蛇，水中置一棒而折为二，所谓幻影者是也。彼等但注意于此，以经验的直观为不足恃，而以为真理唯存于理性之思索，即名学上之思索。此唯理论，与前之经验论相反对。欧几里得于是由此论之立脚地，以组织其数学，彼不得已而于直观上发见其公理，但一切定理，皆由此推演之，而不复求之于直观。然彼之方法之所以风行后世者，由纯粹的直观与经验的直观之区别未明于世。故迨汗德之说出，欧洲国民之思想与行动，皆为之一变，则数学之不能不变，亦自然之势也。盖从汗德之说，则空间与时间之直观，全与一切经验的直观异，此能离感觉而独立，又限制感觉而不为感觉所限制者也。易言以明之，即先天的直观也，故不陷于五官之幻影。吾人由此始知欧氏之数学用名学之方法，全无谓之小心也，是犹夜行之人视大道为水，趑趄于其旁之草棘中，而惧其失足也。始知几何学之图中，吾人所视为必然者，非存于纸上之图，又非存于抽象的概念，而唯存于吾人先天所知之一切知识之形式也。此乃充足理由之原理所辖者，而此实在之根据之原理，其明晰与确实，与知识之根据之原理无异。故吾人不必离数学固有之范围，而独信任名学之方法。如吾人立于数学固有之范围内，不但能得数学上当然之知识，并能得其所以然之知识，其贤于名学上之方法远矣。欧氏之方法，则全分当然之知识与所以然之知识为二，但使吾人知其前者，而不知其后者，此其蔽也。吾人于物理学中，必当然之知识与所以然之知识为一，而后得完全之知识。故但知托利珊利管中之水银其高三十英寸，而不知由空气之重量支持之，尚不足为合理的知识也。然则吾人于数学中，独能以但知其当然而不知其所以然为满足乎？如毕达哥拉斯之命题，但示吾人以直角三角形之有如是之性质，而欧氏之证明法，使吾人不能求其所以然。然一简易之图，使吾人一望而知其必然及其所以然；且其性质所以如此者，明明存于其一角为直角之故。岂独此命题为然，一切几何学上之真理，皆能由直观中证之。何则？此等真理，原由直观中发见之者，而名学上之证明，不过以后之附加物耳。叔氏几何学上之见地如此，厥后哥萨克氏由叔氏之说以教授几何学，然其书亦见弃于世；而世之授几何学者，仍用欧氏之方法。积重之难返，固若是哉！

叔氏于数学上重直观而不重理性也如此。然叔氏于教育之全体，无所往而不重直观，故其教育上之意见，重经验而不重书籍。彼谓概念者，其材料自直观出，故吾人思索之世界，全立于直观之世界上者也。从概念之广狭，而其离直观也有远近，然一切概念，无一不有直观为之根柢。此等直观与一切思索，以其内容；若吾人之思索，而无直观为之内容乎，则直空言耳，非概念也。故吾人之知力，如一银行然，必备若干之金币以应钞票之取求，而直观如金钱，概念如钞票也。故直观可名为第一观念，而概念可名为第二观念。而书籍之为物，但供给第二种之观念。苟不直观一物，而但知其概念，不过得大概之知识；若欲深知一物及其关系，必直观之而后可，决非言语之所能为力也。以言语解言语，以概念比较概念，极其能事，不过达一结论而已。但结论之所得者，非新知识，不过以吾人之知识中所固有者，应用之于特别之物耳。若观各物与其间之新关系，而贮之于概念中，则能得种种之新知识。故以概念比较概念，则人人之所能；至能以概念比较直观者则希矣。真正之知识，唯存于直观；即思索（比较概念之作用）时，亦不得不藉想象之助。故抽象之思索，而无直观为之根柢者，如空中楼阁，终非实在之物也。即文字与语言，其究竟之宗旨，在使读者反于作者所得之具体的知识，苟无此宗旨，则其著述不足贵也。故观察实物与诵读，其间之差别不可以道里计。一切真理唯存于具体的物中，与黄金之唯存于矿石中无异，其难只在搜寻之。书籍则不然，吾人即于此得真理，亦不过其小影耳，况又不能得哉！故书籍之不能代经验，犹博学之不能代天才，其根本存于抽象的知识，不能取具体的知识而代之也。书籍上之知识，抽象的知识也，死也；经验的知识，具体的知识也，则常有生气。人苟乏经验之知识，则虽富书籍上之知识，犹一银行而出十倍其金钱之钞票，亦终必倒闭而已矣。且人苟过用其诵读之能力，则直观之能力必因之而衰弱，而自然之光明反为书籍之光所掩蔽；且注入他人之思想，必压倒自己之思想，久之他人之思想遂寄生于自己之精神中，而不能自思一物，故不断之诵读，其有害于精神也必矣。况精神之为物非奴隶，必其所欲为者乃能有成，若强以所不欲学之事，或已疲而犹用之，则损人之脑髓，与在月光中读书其有损于人之眼无异也。而此病殊以少时为甚，故学者之通病，往往在自七岁至十二岁间习希腊、拉丁之文法，彼等蠢愚之根本实存于此，吾人之所深信而不疑也。夫吾人之所食，非尽变为吾人之血肉，其变为血肉者，必其所能消化者也。苟所食而过于其所能消化之分量，则岂徒无益，而反以害之。吾人之读书，岂有以异于此乎？额拉吉来图曰："博学非知识。"此之谓也。故学问之为物，如重甲胄然，勇者得之，固益有不可御之势；而施之于弱者，则亦倒于地而已矣。叔氏于知育上之重直观也如此，与卢骚、贝斯德禄奇之说如何相近，自不难知也。

而美术之知识全为直观之知识，而无概念杂乎其间，故叔氏之视美术也，尤重于科学。盖科学之源，虽存于直观，而既成一科学以后，则必有整然之系统，必就天下之物分其不相类者，而合其相类者，以排列之于一概念之下，而此概念复与相类之他概念排列于更广之他概念之下。故科学上之所表者，概念而已矣。美术上之所表者，则非概念，又非个象，而以个象代表其物之一种之全体，即上所谓实念者是也，故在在得直观之。如建筑、雕刻、图书、音乐等，皆呈于吾人之耳目者。唯诗歌（并戏剧小说言之）一道，虽藉概念之助以唤起吾人之直观，然其价值全存于其能直观与否。诗之所以多用比兴者，其源全由于此也。

由是，叔氏于教育上甚蔑视历史，谓历史之对象，非概念，非实念，而但个象也。诗歌之所写者，人生之实念，故吾人于诗歌中，可得人生完全之知识。故诗歌之所写者，人及其动作而已。而历史之所述，非此人即彼人，非此动作即彼动作，其数虽巧历不能计也，然此等事实，不过同一生活之欲之发现。故吾人欲知人生之为何物，则读诗歌贤于历史远矣。然叔氏虽轻视历史，亦视历史有一种之价值。盖国民之有历史，犹个人之有理性，个人有理性，而能有过去未来之知识，故与动物之但知现在者异；国民有历史，而有自己之过去之知识，故与蛮民之但知及身之事实者异。故历史者，可视为人类之合理的意识，而其于人类也，如理性之于个人，而人类由之以成一全体者也。历史之价值唯存于此，此叔氏就历史上之意见也。

叔氏之重直观的知识，不独于知育、美育上然也，于德育上亦然。彼谓道德之理论，对吾人之动作无丝毫之效。何则？以其不能为吾人之动作之机括故也。苟道德之理论而得为吾人动作之机括乎，必动其利己之心而后可；然动作之由利己之心发者，于道德上无丝毫之价值者也。故真正之德性，不能由道德之理论即抽象之知识出，而唯出于人己一体之直观的知识，故德性之为物，不能以言语传者也。基开禄所谓德性非可教者，此之谓也。何则？抽象的教训，对吾人之德性，即品性之善，无甚势力。苟吾人之品性而善欤，则虚伪之教训不能诅害之，真实之教训亦不能助之也。教训之势力，只及于表面之动作，风俗与模范亦然。但品性自身，不能由此道变更之。一切抽象的知识，但与吾人以动机，而动机但能变吾人意志之方向，而不能变意志之本质。易言以明之，彼但变其所用之手段，而不变所志之目的。今以例证之。苟人欲于未来受十倍之报酬而施大惠于贫民，与望将来之大利而购不售之股票者，自道德上之价值考之，二者固无以异也。故彼之为正教之故，而处异端以火刑者，与杀越人于货者何所择？盖一求天国之乐，一求现在之乐，其根柢皆归于利己主义故也。所谓德性不可教者，此之谓也。故真正之善，必不自抽象之知识出，而但出于直观的知识。唯超越个物化之原理，而视己与人皆同一之意志之发现，而不容厚此而薄彼，此知识不得由思索而失之，亦不能由思索得之。且此知识以非抽象的知识，故不能得于他人，而唯由自己之直观得之。故其完全之发现，不由言语，而唯由动作。正义、博爱、解脱之诸德，皆由此起也。

然则美术、德性，均不可教，则教育之事废欤？曰否。教育者，非徒以书籍教之之谓，即非徒与以抽象的知识之谓。苟时时与以直观之机会，使之于美术、人生上得完全之知识，此亦属于教育之范围者也。自然科学之教授，观察与实验往往与科学之理论相并而行，人未有但以科学之理论为教授，而以观察实验为非教授者，何独于美育及德育而疑之？然则叔氏之所谓德性不可教者，非真不可教也，但不可以抽象的知识导之使为善耳。现今伯林大学之教授巴尔善氏，于其所著《伦理学系统》中首驳叔氏德性不可教之说，然其所说全从利己主义上计算者，此正叔氏之所谓谨慎，而于道德上无丝毫之价值者也。其所以为此说，岂不以如叔氏之说，则伦理学为无效，而教育之事将全废哉？不知由教育之广义言之，则导人于直观而使之得道德之真知识，固亦教育上之事，然则此说之对教育有危险与否，固不待知者而决也。由此观之，则叔氏之教育主义，全与其哲学上之方法同，无往而非直观主义也。

载 1904 年《教育世界》

书叔本华《遗传说》后

叔本华之《遗传说》，由其哲学演绎而出，又从历史及经验上归纳而证之。然其说非其哲学固有之结论也。何则？据叔氏之哲学，则意志者，吾人之根荄，而知力其属附物也；意志其本性，而知力其偶性也。易言以明之，意志居乎形体之先，而限制形体；知力居乎形体之后，而为形体所限制。自意志欲调和形体之与外界之关系，于是所谓脑髓者以生，而吾人始有知力之作用。故脑髓之为欲知之意志所发现，与吾人之形体之为欲生之意志所发现无异。其《意志及观念之世界》及《自然中之意志》两书中所证明，固已南山可移，此案不可动矣。然则吾人之意志，既自父遗传矣，则所谓欲知之意志，又何为而不得自父得之乎？吾人之欲知之意志，与此知力之程度，既得之母矣，则他种之意志，何为而不得自母遗传乎？彼以意志属之父，以知力属之母，若建筑上之配置然。举彼平昔所以力诋汗德者，躬蹈之而不自知。故形式之弊，一般德国学者之所不能免也。要之，吾人之形体，由父母二人遗传，此人之公认之事实，不可拒也；则为形体之根荄之意志，与为形体一部之作用之知力，皆得自两亲，而不能有所分属。叔氏哲学之正当之结论，固宜如此也。

至其《遗传说》之证据，则存于经验及历史。然经验之为物，固非有普遍及必然之确实性者也。天下大矣，人类众矣，其为吾人所经验者，不过亿兆中之一耳。即吾人经验之中，其熟知其父母及其人之性质知力者，又不过数十人中之一耳。历史亦然。自有史以来，人之姓氏之纪于历史上者几何人？又历史上之人物，其性质知力及其父母子弟之性质知力，为吾人所知者几何人？即其人之性质知力与其父母子弟之性质知力，为吾人所知矣，然历史上之事实，果传信否？又吾人之判断，果不错误否？皆不可不注意也。以区区不遍不赅、不精不详之事实，而遽断定众人公共之原理，吾知其难也。且历史之事之背于此者，亦复不少。吾人愧乏西洋历史之知识，姑就吾国历史上其事实之与叔氏之说相反对者，述之如左：

叔氏所谓母之好尚及情欲，决不能传之于子者，吾人所不能信也。乐正后夔，决非贪欲之人也，以娶有仍氏之故，生封豕之伯封，而夔以不祀。周昭王承成康之后，未有失德，而其后房后实有爽德，协于丹朱，卒生穆王，肆其心以游天下，而周室以衰。至父子兄弟性质之相反者，历史上更不胜枚举。黄帝之子二十五宗，唯青阳与苍林氏同于黄帝。颛顼氏有才子八人，而又有梼杌。瞽瞍前妻之子为舜，而后妻则生傲象。尧有丹朱，舜有商均。帝乙之贤否，无闻于后世，而微子与纣，以异母之故，仁暴之相去乃若天壤。鲁之隐、桓同出于惠公，以异母之故，而一让一弑。晋献荒淫无道，贼弑公族，而有太子申生之仁；夷吾忮刻，乃肖厥父。晋之羊舌氏，三世济美，伯华、叔向，一母所生，并有令德，而叔虎以异母之故，嬖于栾盈，而卒以杀其身；至叔向之子食我，而亡羊舌氏，其母则又夏姬之所出也。秦之始皇至暴抗也，而有太子扶苏之仁孝。汉之文帝，恭俭仁恕，而景帝惨纥，颇似窦后。景帝之子十四人，大抵荒淫残酷，无有人理，而栗姬二子，临江王荣以无罪死，为父老所思；河间献王德被服道术，造次必于儒者，非同父异母之事实，其奚以解释之乎？至圣母之子之有名德者，史册上尤不可胜举。曾文正公之太夫人江氏，实有刚毅之性质，文正自谓“我兄弟皆禀母气”，此事犹在人耳目者也。故在吾国，“非此母不生此子”（大概指性质而言，非谓知力也）之谚，与西洋“母之知慧”之谚，殆有同一之普遍性，故叔氏之说不能谓之不背于事实也。

至其谓父之知力不能遗传于子者，此尤与事实大反对者也。兹就文学家言之。以司马迁、班固之史才，而有司马谈、班彪为之父。以枚乘之能文，而有枚皋为之子。且班氏一家，男则有班伯、班叔等，女则前有倢伃，后有曹大家，此决非偶然之事也。以王逸之辞赋，而有子延寿，其《鲁灵光殿赋》且驾班、张而上之。以蔡邕之逸才，而有女文姬。而曹大家及文姬之子反不闻于后世，则又何也？魏武雄才大略，诗文雄杰亦称其人，文帝、陈思，因不愧乃父矣；而幼子邓哀王仓舒，以八龄之弱，而发明物理学上比重之理（《魏志·邓哀王传》注）；至高贵乡公髦，犹有先祖之余烈，其幸太学之问，使博士不能置对（《魏志》），又善绘事，所绘《卞庄刺虎图》，为宋代宣和内府书画之冠（《铁围山丛谈》），又孰谓知力之不能自祖父遗传乎？至帝王家文学之足与曹氏媲美者，厥惟萧氏。梁武帝特妙于文学，虽不如魏武，固亦六代之俊也。昭明继起，可拟五官。至简文帝、元帝，而诗文之富，度越父兄矣。邵陵王纶、武陵王纪，亦工书记，独豫章王综，自疑为齐东昏之子，宫甲未动，遽然北窜，然其《钟鸣落叶》之曲，读者未始不可见乃父之遗风焉。此后南唐李氏父子，亦颇近之。至于扬雄之子，九年而与《玄》文；孔融之儿，七岁而知家祸，融固所谓“小时了了”者也。隋之河汾王氏，宋之眉山苏氏，亦皆父子兄弟，回翔文苑。苏过《斜川集》之作，虽不若而翁，固不愧名父之子也。至一家父子之以文学名者，历史上尤不可胜举，则知力之自父遗传，固自不可拒也。

兹更就美术家言之。书家则晋有王氏之羲、献，以至于智永，唐则自太宗经高宗、睿宗，以至玄宗，及欧阳氏父子，皆人人所知者也。画家则唐尉迟乙僧画佛之妙，冠绝古今，而有父跋质那，有兄甲僧，并善此技（《唐朝名画录》）。与尉迟齐名者，唯阎立本，而其父毗，在隋以丹青得名，兄立德亦承家学，故曰“大安、博陵，难兄难弟”，谓立德、立本也（《唐画录》）。李思训，世所谓北派之祖也，其子昭道变父之势，妙又过之，故时号曰大李将军、小李将军（《画鉴》）。宋徽宗天纵游艺，论者谓其画兼有顾、陆、曹、吴、荆、关、李、范之长，高宗亦善绘事，同时米家父子，亦接踵画苑，极君臣之遇合矣。赵文敏书画独步元初，而有兄孟坚，子雍奕，又其甥王蒙，且与黄公望、倪瓒、吴镇并称元四大画家。夫文敏之有子，固得以管夫人为之母解之，然上所述之诸家，则将何所藉口耶？至明以后，以书画世其家者尤不胜数。明之长洲文氏，国朝之娄东二王氏，武进恽氏，近者二三世，远者五六世，而流风未沫。此种事实，叔氏其何以解之？夫文学家与美术家，固天才之所为，非纯粹知力之作用耶？而父子兄弟祖孙相继如此，则知力不传自父之说，其不可持，固不待论也。

要之，叔氏此说非由其哲学演绎而出，亦非由历史上归纳而得之者也，此说之根据，存于其家乘上之事实。叔氏之父素有脑疾，晚年以堕楼死，彼之郁忧厌世之性质，自其父得之者也。其母叔本华·约翰，则有名之小说家，而大诗人格代之友也。彼自信其知力得自母，而性质得自父，彼深爱其父，而颇不快于其母。幼时父令其习商业，素所不喜也，迨父死后，尚居其职二年，以示不死其父之意。后因处理财产之事，与母相怨，又自愤其哲学之不得势力，而名反出其母下也，每恶人谓己曰彼叔本华·约翰之子也。彼生平以恶妇人之故，甚蔑视妇人，谓女子除服从外无他德，遂以形而上学上本质之意志属诸男子，偶性之知力属诸女子。故曰其遗传说实由其自己之经验与性质出，非由其哲学演绎，亦非由历史上归纳而得之者也。

且叔氏之说之不足持，不特与历史上之事实相反对而已。今夫父母之于子，其爱之有甚于其身者，则以其为未来之我，而与我有意志之关系也。若仅以知力之关系论，则夫师弟朋友之间，其知识之关系且胜于父子，奚论母子？故仅有知识之关系者，其间爱情不得而存也。而母之爱子也，不减于父，或且过之者，则岂不以母子间非徒有知力之关系，且有意志之关系哉？故母之于子，无形体之关系则已，苟有形体之关系，则欲其意志之不遗传，不可得也（由叔氏之说，意志与形体为一物，而从知力之形式中所观之意志也）。父之于子也亦然，苟无形体之关系则已，苟有形体之关系则形体之一部分之脑，与其作用之知力，又何故不得传诸其子乎？至意志得受诸父，与知力得受诸母，此说则余固无间然矣。

1904 年作

附录　静安诗词

静庵诗稿

杂诗（戊戌四月）

飘风自北来，吹我中庭树。乌鸟覆其巢，向晦归何处？西山扬颓光，须臾复霾雾。翛翛长夜间，漫漫不知曙。旨蓄既以罄，桑土又云腐。欲从鸿鹄翔，铩羽不能遽。阴阳陶万汇，温凓固有数。亮无未雨谋，苍苍何喜怒。

美人如桃李，灼灼照我颜。贻我绝代宝，昆山青琅玕。一朝各千里，执手涕泛澜。我身局斗室，我魂驰关山。神光互离合，咫尺不得攀。惜哉此瑰宝，久弃巾箱间。日月如矢激，倏忽鬓毛斑。我诵《唐棣》诗，愧恧当奚言。

豫章生七年，荏染不成株。其上矗楩楠，郁郁干云衢。匠石忽惊视，谓与凡材殊。诘朝事斤斧，浃辰涂丹朱。明堂高且严，佚荡天人居。虹梁抗日月，菡萏纷扶敷。顾此豫章苗，谓为中欂栌。付彼拙工辈，刻削失其初。柯干未云坚，不如栎与樗。中道失所养，幽怨当何如。

嘉兴道中（己亥）

舟入嘉兴郭，清光拂客衣。朝阳承月上，远树与星稀。岁富多新筑，潮平露旧矶。如闻迎大府，河上有旌旗。

八月十五夜月

一餐灵药便长生，眼见山河几变更。留得当年好颜色，嫦娥底事太无情？

红豆词

南国秋深可奈何，手持红豆几摩挲。累累本是无情物，谁把闲愁付与他？

门外青骢郭外舟，人生无奈是离愁。不辞苦向东风祝，到处人间作石尤。

别浦盈盈水又波，凭栏渺渺思如何？纵教踏破江南种，只恐春来茁更多。

匀圆万颗争相似，暗数千回不厌痴。留取他年银烛下，拈来细与话相思。

题梅花画箑

梦中恐怖诸天堕，眼底尘埃百斛强。苦忆罗浮山下住，万梅花里一胡床。

题友人三十小像

劝君惜取镜中姿，三十光阴隙里驰。四海一身原偶寄，千金三致岂前期。论才君自轻侪辈，学道余犹半黠痴。差喜平生同一癖，宵深爱诵剑南诗。

几看昆池累劫灰，俄惊沧海又楼台。早知世界由心造，无奈悲欢触绪来。翁埠潮回千顷月，超山雪尽万株梅。卜邻莫忘他年约，同醉中山酒一杯。

杂　感

侧身天地苦拘挛，姑射神人未可攀。云若无心常淡淡，川如不竞岂潺潺。驰怀敷水条山里，托意开元武德间。终古诗人太无赖，苦求乐土向尘寰。

书古书中故纸（癸卯）

昨夜书中得故纸，今朝随意写新诗。长捐箧底终无恙，比入怀中便足奇。黯淡谁能知汝恨，沾涂亦自笑余痴。书成付与炉中火，了却人间是与非。

端　居

端居多暇日，自与尘世疏。处处得幽赏，时时读异书。高吟惊户牖，清谈霏琼琚。有时作儿戏，距跃绕庭除。角力不耻北，说隐自忘愚。虽惭云中鹤，终胜辕下驹。如此复不乐，问君意何如？

阳春煦万物，嘉树自敷荣。枳棘茁其旁，既锄还复生。我生三十载，役役苦不平。如何万物长，自作牺与牲？安得吾丧我，表里洞澄莹。纤云归大壑，皓月行太清。不然苍苍者，褫我聪与明。冥然逐嗜欲，如蛾赴寒檠。何为方寸地，矛戟森纵横？闻道既未得，逐物又未能。衮衮百年内，持此欲何成！

孟夏天气柔，草木日夕长。远山入吾庐，顾影自骀荡。晴川带芳甸，十里平如掌。时与二三子，披草越林莽。清旷淡人虑，幽蒨遗世网。归来倚小阁，坐待新月上。渔火散微星，暮钟发疏响。高谈达夜分，往往入遐想。咏此聊自娱，亦以示吾党。

嘲杜鹃

去国千年万事非，蜀山回首梦依稀。自家惯作他乡客，犹自朝朝劝客归。

干卿何事苦依依，尘世由来爱别离。岁岁天涯啼血尽，不知催得几人归？

五月十五夜坐雨赋此

积雨经旬烟满湖，先生小疾未全苏。水声粗悍如骄将，天色凄凉似病夫。江上痴云犹易散，胸中妄念苦难除。何当直上千峰顶，看取金波涌太虚。

游通州湖心亭

扁舟出西郭，言访湖中寺。野鸟困樊笼，奋然思展翅。入门缘亭坳，尘劳始一憩。方愁亭午热，清风飒然至。新荷三两翻，葭菼去无际。湖光槛底明，山色樽前坠。人生苦局促，俯仰多悲悸。山川非吾故，纷然独相媚。嗟尔不能言，安得同把臂。

六月二十七日宿硖石

新秋一夜蚊如市，唤起劳人使自思。试问何乡堪著我，欲求大道况多歧。人生过处唯存悔，知识增时只益疑。欲语此怀谁与共，鼾声四起斗离离。

秋夜即事

萧然饭罢步鱼矶，东寺疏钟度夕霏。一百八声亲数彻，不知清露湿人衣。

偶成二首

我身即我敌，外物非所虞。人生免襁褓，役物固有余。网罟一朝作，鱼鸟失宁居。矫矫骅与骝，垂耳服我车。玉女粲然笑，照我读奇书。嗟汝矜智巧，坐此还自屠。一日战百虑，兹事与生俱。膏明兰自烧，古语良非虚。

蠕蠕茧中蛹，自缚还自钻。解铃虎颔下，只待系者还。大患固在我，他求宁非谩。所以古达人，独求心所安。翩然鸿鹄举，山水恣汗漫。奇花散硐谷，喈喈鸣鹓鸾。悠然七尺外，独得我所观。至人更卓绝，古井浩无澜。中夜搏嗜欲，甲裳朱且殷。凯歌唱明发，筋力亦云单。蝉蜕人间世，兀然入泥洹。此语闻自昔，践之良独难。厥途果奚从，吾欲问瞿昙。

拚 飞

拚飞懒逐九秋雕，孤耿真成八月蜩。偶作山游难尽兴，独寻僧话亦无聊。欢场只自增萧瑟，人海何由慰寂寥。不有言愁诗句在，闲愁那得暂时消。

重游狼山寺

不过招提半载余，秋高重访素师居。朅来桑下还三宿，便拟山中构一庐。此地果容成小隐，百年那厌读奇书。君看岭外嚣尘上，讵有吾侪息影区。

尘 劳

迢迢征雁过东皋，谡谡长松卷怒涛。苦觉秋风欺病骨，不堪宵梦续尘劳。至今呵壁天无语，终古埋忧地不牢。投阁沉渊争一间，子云何事《反离骚》？

来日二首

来日滔滔来，去日滔滔去。适然百年内，与此七尺遇。尔从何处来，行将徂何处？扶服径幽谷，途远日又暮。雪然一罅开，熹微知天曙。便欲从此逝，荆棘窘余步。税驾知何所，漫漫就前路。常恐一掷中，失此黄金注。我力既云痡，哲人倘见度。瞻望弗可及，求之缣与素。

宇宙何寥廓，吾知则有涯。面墙见人影，真面固难知。篱籥半在水，本末互参池。持刀剡作矢，劲直固无亏。耳目不足凭，何况胸所思？人生一大梦，未审觉何时。相逢梦中人，谁为析余疑。吾侪皆肉眼，何用试金篦？

登狼山支云塔

数峰明媚互招寻，孤塔崚嶒试一临。槛底江流仍日夜，岩间海草未销沉。蓬莱自合今时浅，哀乐偏于我辈深。局促百年何足道，沧桑回首亦骎骎。

病中即事（甲辰）

滴残春雨住无期，开尽园花卧不知。因病废书增寂寞，强颜入世苦支离。拟随桑户游方外，未免扬朱泣路歧。闻道南山薇蕨美，膏车径去莫迟疑。

暮　春

晨翻书帙鸟无哗，晚步郊原草正芽。院落春深新著燕，池塘雨过乱鸣蛙。心闲差许观身世，病起初能玩物华。但使猖狂过百岁，不嫌孤负此生涯。

冯　生

众庶冯生自足悲，真人何事困馇饨。家贫且贷河侯粟，行苦终思牧女糜。溟海巨鹏将徙日，雪山大道未成时。生平不索长生药，但索丹方可忍饥。

晓　步

兴来随意步南阡，夹道垂杨相带妍。万木沉酣新雨后，百昌苏醒晓风前。四时可爱唯春日，一事能狂便少年。我与野鸥申后约，不辞旦旦冒寒烟。

蚕

余家浙水滨，栽桑径百里。年年三四月，春蚕盈筐篚。蠕蠕食复息，蠢蠢眠又起。口腹虽累人，操作终自己。丝尽口卒瘏，织就鸳鸯被。一朝毛羽成，委之如敝屣。耑耑索其偶，如马遭鞭箠。呴濡视遗卵，怡然即泥滓。明年二三月，儠儠长孙子。茫茫千万载，辗转周复始。嗟汝竟何为，草草阅生死。岂伊悦此生，抑由天所畀。畀者固不仁，悦者长已矣。劝君歌少息，人生亦如此。

平　生

平生苦忆挈卢敖，东过蓬莱浴海涛。何处云中闻犬吠，至今湖畔尚乌号。人间地狱真无间，死后泥洹枉自豪。终古众生无度日，世尊只合老尘嚣。

秀　州

看月不知清夜长，归桡渐入秀州乡。天边远树山千叠，风里垂杨态万方。一自名园窜狐兔，至今渌水少鸳鸯。不须为唱梅村曲，芳草萋萋自断肠。

偶　成

文章千古事，亦与时荣枯。并世盛作者，人握灵蛇珠。朝菌媚初日，容色非不腴。飘风夕以至，零落委泥涂。且复舍之去，周流观石渠。蔽亏东观籍，繁会南郭竽。譬如贰负尸，桎梏南山隅。恒干块犹存，精气荡无余。小子愦无状，亦复事操觚。自忘宿瘤质，揽镜学施朱。东家与西舍，假得紫罗襦。主者虽不索，跬步终趑趄。且当养毛羽，勿作南溟图。

九日游留园

朝朝吴市踏红尘，日日萧斋兀欠伸。到眼名园初属我，出城山色便迎人。奇峰颇欲作人立，乔木居然阅世新。忍放良辰等闲过，不辞归路雨沾巾。

天　寒

天寒木落冻云铺，万点城头未定乌。只分杨朱叹歧路，不应阮籍哭穷途。穷途回驾原非失，歧路亡羊信可吁。驾得灵槎三十丈，空携片石访成都。

欲　觅

欲觅吾心已自难，更从何处把心安？诗缘病辍弥无赖，忧与生来讵有端。起看月中霜万瓦，卧闻风里竹千竿。沧浪亭北君迁树，何限栖雅噪暮寒。

出　门

出门惘惘知奚适，白日昭昭未易昏。但解购书那计读，且消今日敢论旬。百年顿尽追怀里，一夜难为怨别人。我欲乘龙问羲叔，两般谁幻又谁真？

过石门

我行迫季冬，及此风雨夕。狂飙掠舷过，声声如裂帛。后船窘呼号，似闻楼橹折。孤怀不能寐，高枕听淅沥。须臾风雨止，微光漏舷隙。悠然发清兴，起坐岸我帻。片月挂东林，垂垂两岸白。小松如人长，离立四五尺。老桑最丑怪，亦复可怡悦。

疏竹带轻飔，摇摇正秀绝。生平几见汝，对面若不识。今夕独何夕，著意媚孤客。非徒豁双眸，直欲奋六翮。此顷能百年，岂惜长行役。

留园玉兰花（乙巳）

庭中新种玉兰树，枝长干短花无数。灿如幼女冠六珈，踯躅墙阴不能步。今朝送客城西隅，留园名花天下无。拔地扶疏三四丈，倚天绰约百余株。我上东楼频目极，楼西花海花西日。海上银涛突兀来，日边瑶阙参差出。南圃辛夷亦已花，雪山缺处露朝霞。闲凭危槛久徙倚，眼底层层生绛纱。窈窕吴娘自矜许，却来花底羞无语。直令椒麝黯无香，坐使红颜色消沮。将归小住更凝眸，暝色催人不可留。归来径卧添愁怅，万花倒插藻井上。

坐　致

坐致虞唐亦太痴，许身稷契更奚为？谁能妄把平成业，换却平生万首诗。

五月二十三夜出阊门驱车至觅渡桥

小斋竟日兀营营，忽试霜蹄四马轻。萤火时从风里堕，雉垣偏向电边明。静中观我原无碍，忙里哦诗却易成。归路不妨冒雷雨，兹游快绝冠平生。

将理归装，得马湘兰画幅，喜而赋此

旧苑风流独擅场，土苴当日睨侯王。书生归舸真奇绝，载得金陵马四娘。

小石丛兰别样清，朱丝细字亦精神。君家宰相成何事？羞杀千秋冯玉英。（马士英善绘事，其遗墨流传人间者，世人丑之，往往改其名为冯玉英云。）

集外诗

读史二十首

一

回首西陲势渺茫，东迁种族几星霜。何当踏破双芒屐，却向昆仑望故乡。

二

两条云岭摩天出，九曲黄河绕地回。自是当年游牧地，有人曾号伏羲来。

三

及及生存起竞争，流传神话使人惊。铜头铁额今安在？始信轩皇苦用兵。

四

澶漫江淮万里春，九黎才格又苗民。即今魋髻穷山里，此是江南旧主人。

五

二帝精魂死不孤，嵇山陵庙似苍梧。耄年未罢征苗旅，神武如斯旷代无。

六

铜刀岁岁战东欧，石弩年年出挹娄。毕竟中原开化早，已闻昉铁贡梁州。

七

谁向钧天听乐过，秦中自古鬼神多。即今《诅楚文》犹在，才告巫咸又亚驼。

八

《春秋》谜语苦难诠，历史开山数腐迁。前后固应无此作，一书上下两千年。

九

汉作（一作“凿”）昆池始见煤，当年贳力信雄哉。于今莫笑胡僧妄，本是洪荒劫后灰。

十

挥戈大启汉山河，武帝雄材世讵多。轻骑今朝绝大漠，楼川明日下洋河。

十一

慧光东照日炎炎，河陇降王正款边。不是金人先入汉，永平谁证梦中缘?

十二

西域纵横尽百城，张陈远略逊甘英。千秋壮观君知否，黑海东头望大秦。

十三

三方并帝古未有，两贤相厄我所闻。何来洒落樽前语，天下英雄惟使君。

十四

北临洛水拜陵园，奉表迁都大义存。纵使暮年终作贼，江东那更有桓温。

十五

江南天子皆词客，河北诸王尽将才。乍歌乐府《兰陵曲》，又见湘东玉轴灰。

十六

晋阳蜿蜿起飞龙，北面倾心事犬戎。亲出渭桥擒颉利，文皇端不愧英雄!

十七

南海商船来大食，西京袄寺建波斯。远人尽有如归乐，知是唐家全盛时。

十八

五国风霜惨不支，崖山波浪浩无牙。当年国势陵迟甚，争怪诸贤唱攘夷。

十九

黑水金山启伯图，长驱远摭世间无。至今碧眼黄须客，犹自惊魂说拔都。

二十

东海人奴盖世雄，卷舒八道势如风。碧蹄倘得擒渠反，大壑何由起蛰龙。

戏效季英作口号诗

一

舟过瞿塘东复东，竹枝声里杜鹃红。白云低渡沧江去，巫峡冥冥十二峰。

二

朱楼高出五云间，落日凭栏翠袖寒。寄语塞鸿休北度，明朝飞雪满关山。

三

夜深微雨洒帘栊，惆怅西园满地红。依李夭桃元自落，人间未免怨东风。

四

双阙凌霄不可攀，明河流向阙中间。银灯一队经驰道，道是君王夜宴还。

五

雨后山泉百道飞，冥冥江树子规啼。蜀山此去无多路，要为催人不得归。

六

十年肠断寄征衣，雪满天山未解围。却听邻娃谈故事，封侯大婿黑头归。

题《殷虚书契考释》

不关意气尚青春，风雨相看如（一作“各”）怆神。南沈北柯俱老病，先生华发鬓边新。

咏东坡

两山、君㧑两先生招集东山左阿弥旅馆，作坡公生日，愧无佳语，因录古人成句。

堂堂复堂堂，子瞻出峨嵋。少读范滂传，晚和渊明诗。

集外词

菩萨蛮

西风水上摇征梦，舟轻不碍孤帆重。江阔树冥冥，荒鸡叫雾醒。舟穿妆阁底，楼上佳人起。蓦入欲通辞，数声柔舻枝。

蝶恋花

落落盘根真得地，涧畔双松，相背呈奇态。势欲拚飞终复坠，苍龙下饮东溪水。溪上平岗千叠翠，万树亭亭，争作拏云势。总为自家生意遂，人间爱道为渠媚。

醉落魄

柳烟淡薄，月中闲杀秋千索。踏青挑菜都过却，陡忆今朝，又失湔裙约。落红一阵飘帘幙，隔帘错怨东风恶。披衣小立阑干角，摇荡花枝，哑哑南飞鹊。

虞美人

杜鹃千里啼春晚，故国春心断。海门空阔月皑皑，依旧素车白马夜潮来。山川城郭都非故，恩怨须臾误。人间孤愤最难平，消得几回潮落又潮生。

鹧鸪天　庚申除夕和吴伯宛舍人

绛蜡红梅竞作花，客中惊又度年华。离离长柄垂天斗，隐隐轻雷隔巷车。斟醁醑，和尖叉，新词飞寄舍人家。可将平日丝纶手，系取今宵赴壑蛇。

百字令　题孙隘庵《南窗寄傲图》（戊午）

楚灵均后数柴桑，第一伤心人物。招屈亭前千古水，流向浔阳百折。夷叔西陵，山阳下国，此恨那堪说。寂寥千载，有人同此伊郁。堪叹招隐图成，赤明龙汉，小劫须臾阅。试与披图寻甲子，尚记义熙年月，归鸟心期，孤云身世，容易成华发，乔松无恙，素心还问霜杰。

霜花腴　用梦窗韵补寿彊村侍郎（己未）

海澨倦客，是赤明延康，旧日衣冠，坡老黎村，冬郎闽峤，中年陶写应难。醉乡尽宽，更紫萸，黄菊尊前。剩沧江、梦绕觚棱，斗边槎外恨高寒。回首凤城花事，便玉河烟柳，总带栖蝉。写艳霜边，疏芳篱下，消磨十样蛮笺。载将画船，荡素波，凉月娟娟。倩郦泉、与驻秋容，重来扶醉看。

清平乐　况夔笙太守索题《香南雅集图》（庚申）

蕙兰同畹，著意风光转。劫后芳华仍畹晚，得似凤城初见。旧人惟有何戡，玉宸宫调曾谙。肠断杜陵诗句，落花时节江南。

长短句（乙巳至己酉）

少年游

垂杨门外，疏灯影里，上马帽檐斜。紫陌霜浓，青松月冷，炬火散林鸦。酒醒起看[①]西窗上，翠竹影交加。跌宕歌词，纵横书卷，不与遣年华。

阮郎归

美人消息隔重关，川途弯复弯。沈沈空翠压征鞍，马前山复山。浓泼黛、缓拖鬟，当年看复看。只余眉样在人间，相逢艰复艰。

蝶恋花

昨夜梦中多少恨，细马香车，两两行相近。对面似怜人瘦损，众中不惜搴帷问。陌上轻雷听隐辚。[②]梦里难从，觉后那堪

① 此句一作“归来惊看”。

② “隐辚”一作“渐稳”。

讯。蜡泪窗前堆一寸，人间只有相思分！

虞美人

碧苔深锁长门路[①]，总为蛾眉误。自来积毁骨能销，何况真红一点臂砂娇[②]。妾身但使分明在，肯把朱颜悔。从今不复梦承恩，且自簪花[③]坐赏镜中人。

浣溪沙

六郡良家最少年，戎装骏马照山川，闲抛金弹落飞鸢。何处高楼无可醉？谁家红袖不相怜？人间那信有华颠。

点绛唇

厚地高天，侧身颇觉平生左。小斋如舸，自许回旋可。聊复浮生，得此须臾我。乾坤大，霜林独坐，红叶纷纷堕。

蝶恋花

满地霜华浓似雪，人语西风，瘦马嘶残月。一曲《阳关》浑未彻，车声渐共歌声咽。换尽天涯芳草色，陌上深深，依旧年时

---

① 此句一作“纷纷谣诼何须数？”

② 此两句一作“世间白骨尚能销，何况玉肌一点守宫娇！”

③ “簪花”一作“开奁”。

辙。自是浮生无可说，人间第一耽离别。

又

斗[①]觉宵来情绪恶，新月生时，黯黯伤离索。此夜清光浑似昨，不辞自下深深幕。何物尊前哀与乐？已坠前欢，无据他年约！几度烛花开又落，人间须信思量错。

又

百尺朱楼临大道，楼外轻雷，不间昏和晓。独倚阑干人窈窕，闲中数尽行人小。一霎车尘生树杪，陌上楼头，都向尘中老。薄晚西风吹雨到，明朝又是伤流潦。

又

黯淡灯花开又落，此夜云踪，知向谁边著？频弄玉钗思旧约，知君未忍浑抛却。妾意苦专君苦博，君似朝阳，妾似倾阳藿。但与百花相斗作，君恩妾命原非薄。

浣溪沙

掩卷平生有百端，饱更忧患转冥顽，偶听啼鴂怨春残。坐觉

① 一作“陡”。

无[①]何消白日，更缘随例弄丹铅，闲愁无分况清欢。

清平乐

垂杨深[②]院，院落双飞[③]燕。翠幕[④]银灯春不浅，记得那时初见。眼波靥[⑤]晕微流，尊前却按《凉州》。[⑥]拚取一生肠断，消他几度回眸。

浣溪沙

漫作年时别泪看，西窗蜡炬尚泛澜，不堪重梦十年间。斗柄又垂天直北，官书坐会[⑦]岁将阑，更无人解忆长安。

谒金门

孤檠[⑧]侧，诉尽十年踪迹。残夜银釭无气力，绿窗寒恻恻。落叶瑶阶狼籍，高树露华凝碧。露点声疏人语密，旧欢无处觅。

---

① “无”一作“亡”。

② “深”一作“小”。

③ “飞”一作“归”。

④ “幕”一作“幙”。

⑤ “靥”一作“脸”。

⑥ “凉州”一作“梁州”。

⑦ 此句一作“客愁坐逼”。

⑧ “檠”一作“灯”。

苏幕遮

倦凭阑，低拥髻，丰颊秀[①]眉，犹是年时意。昨夜西窗残梦里，一霎幽欢，不似人间世。恨来迟，防醒易，梦里惊疑，何况醒时际？凉月满窗人不寐，香印成灰，总作回肠字。

浣溪沙

本事新词定有无，斜行小草字模糊，[②]灯前肠断为谁书？隐几窥君新制作，背灯数妾旧欢娱，区区情事总难符。

蝶恋花

袅袅鞭丝冲落絮，归去临春，试问春何许？小阁重帘天易暮，[③]隔帘阵阵飞红雨。刻意伤春谁与诉，[④]闷拥罗衾，动作经旬度。[⑤]已恨年华留不住，争[⑥]知恨里年华去！

---

① “秀”一作“修”。

② 此句一作“这般绮语太胡卢”。

③ “暮”一作“暑”。

④ “谁与诉”一作“无说处”。

⑤ “度”一作“卧”。

⑥ “争”一作“那”。

又

窗外绿阴添几许，剩有朱樱，尚系残红住。老尽莺雏无一语，飞来衔得樱桃去。坐看画梁双燕乳，燕语呢喃，似惜人迟暮。自是思量渠不与，人间总被思量误。

点绛唇

屏却相思，近来知道都无益。不成抛掷，梦里终相觅。醒后楼台，与梦俱明灭。西窗白，纷纷凉月，一院丁香雪。

清平乐

斜行淡墨，袖得伊书迹。满纸相思容易说，只爱年年离别。罗衾独拥黄昏，春来几点啼痕？厚薄不[1]关妾命，浅深只问君恩！

浣溪沙

已落芙蓉并叶凋，半枯萧艾过墙高，日斜孤馆易魂销。坐觉清秋归荡荡，眼看白日去昭昭，人间争度渐长宵。

---

① “不”一作“只”。

蝶恋花

月到东南秋正半，双阙中间，浩荡流银汉。谁起水精帘下看，风前隐隐闻箫管。凉露湿衣风拂面，坐爱清光，分照恩和怨。苑柳宫槐浑一片，长门西去昭阳殿。

菩萨蛮

回廊小立秋将半，婆娑树影当阶乱。高树是东家，月华笼露华。碧阑干十二，都作回肠字。独有倚阑人，断肠君不闻。